名桜大学やんばるブックレット６

やんばると産業

仲尾次洋子　編

林　　優子
仲尾次洋子
大城美樹雄
草野　泰宏
宮平　栄治

公立大学法人
名桜大学
MEIO UNIVERSITY

JN064381

やんばると産業 ● もくじ

序章　やんばると産業

仲尾次 洋子

　やんばる地域[1]は，地方中小都市としての機能を備えた名護市を中心として，これまで沖縄振興事業や北部振興事業の実施により産業基盤が強化され，観光リゾート産業，金融・情報通信関連産業等の振興，生活環境の整備による定住条件の整備が図られてきました。しかし，所得水準は県内で最も低く，完全失業率も高いなど，地域の持続的な発展には更なる産業の振興が必要とされています[2]。そのため，産業振興を促す目的として，名護市は平成26年に内閣総理大臣より経済金融活性化特別地区として指定されました。経済金融活性化特別地区は，「従前の金融業務特別地区を発展的に解消し，対象産業を金融産業から多様な産業へと拡げることで，実体経済の基盤となる産業とそれを支える金融産業等によって沖縄における経済金融の活性化を図るために，これまでの制度を抜本的に拡充する形で創設」[3]されました。令和元年5月末日現在の進出企業数は49社，1163名の従業員が雇用されています[4]。

　このような現状を踏まえ，本ブックレットでは，「やんばると産業」というテーマで，名桜大学経営専攻に所属する教員の教育活動およびやんばる地域を対象とした調査・研究活動の成果をとりまとめることで，やんばる地域に資する産業の今後を考えていきたいと思います。

　まず，総論として，「人口動向と産業構造からみるやんばる」（林優子）において，やんばるにおける人口と産業構造の動向を概観し，やんばるの産業をとりまく環境や現状について理解を深めます。

　つづいて，具体的な事例として，「中小企業におけるブランド化への取り組み－勝山シークヮーサーとアセローラフレッシュを事例に－」（林優子）

において農業,「オリオンビールの軌跡とグローバル展開」(仲尾次洋子)において製造業,「やんばるの地域活性化―『道の駅』許田の事例を中心に―」(大城美樹雄)において,産業間を繋ぐ役割を果たす道の駅を紹介します。

　また,「生鮮食料品へのアクセスから見た『やんばる』の地域マーケティング」(草野泰宏)においては,地域住民のくらしと密接に関わる買い物難民の現状と自治体の役割について考察します。

　さらに,大学での学びへの導入として,「産業構造と地方財政」(宮平栄治)において,産業と都道府県や市町村の財政である地方財政の関係について,理論的に整理しています。

注
1)本ブックレットでも,大谷(2018)p.5 に倣い,やんばるを沖縄県北部地域,北部12 市町村または沖縄島北部地域を指し示すものとします。
2)沖縄県(2014)p.1 を参照。
3)沖縄県(2014)p.1 を参照。
4)名護市「経済金融活性化特別地区」を参照。

参考文献等
大谷健太郎(2018)「序章　やんばると観光」　大谷健太郎・新垣祐治編『名桜大学やんばるブックレット④　やんばると観光』沖縄タイムス社,p.5
沖縄県(2014)『経済金融活性化計画』 https://www.pref.okinawa.lg.jp/site/kikaku/chosei/kikaku/documents/keikinnkeikaku.pdf(2019 年 8 月 4 日閲覧)
名護市「経済金融活性化特別地区」 http://www.city.nago.okinawa.jp/kurashi/2018072400107/(2019 年 8 月 4 日閲覧)

1章　人口動向と産業構造からみるやんばる

林 優子

1．はじめに

　沖縄県のなかで北部地域，いわゆる「やんばる」の産業について，様々な角度から紹介する前に，本章では全体の基本となる情報について皆さんと共有していきたいと思います。北部地域は，1市2町9村による計12市町村で構成されています。この北部地域の12市町村を「やんばる」として以下話を進めていきましょう。

　まずは，その基本となる人口構造についてです。これは，産業，企業にとって商品やサービスの買い手である「需要基盤」になります。この需要の状況が変化することは産業や企業にとっての売上や利益の増減に関わり，引いては企業の栄枯盛衰に大きく関係してきます。そこでやんばるの人口についてその現状等を概観していきます。

　次に，やんばるの産業構造についてみていきましょう。どのような産業構造となっているかによって，その地域でそれぞれの企業が生み出す生産物が特産品として他の地域の人々に注目されたり，企業においては雇用状況を反映していたりと，地域の発展に大きく関係していることを理解することができるからです。

　これらを踏まえて，やんばるにおける人口と産業構造の動向を概観し理解することで，以下の章において企業活動や地域についての理解を深めていきましょう。

２．やんばるにおける人口の動向

（１）沖縄県に占めるやんばるの人口動向

　総務省統計局によるわが国の人口推移をみると，わが国全体で総人口は2008年に１億2,803万人をピークに減少をはじめ，2015年時点で１億2,709万人と人口減少社会に入っています。一方，沖縄県の人口推移は，図１に示されているように，戦後一貫して増加傾向を示しており，2015年時点で143万3,566人となっています。全国的には減少傾向にある中で，沖縄県は現状では増加傾向を示しており，元気な県として位置づけしてよいでしょう。

　また図１では，沖縄県総人口に占めるやんばる地域の人口比率も示しています。沖縄県全体では人口は増加傾向にありますが，やんばる地域の人口比率は年々減少傾向を示しています。

図１　沖縄県総人口に占めるやんばるの人口比率の推移

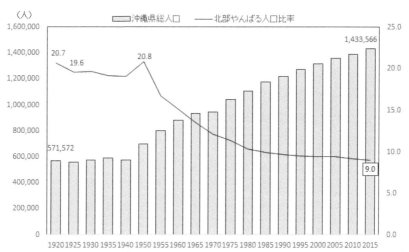

（出所）総務省統計局「国勢調査」，沖縄県企画部統計局作成のものを参照に作成

　それでは表1でもって，やんばる地域の各市町村の人口推移をみてみましょう。表1は，沖縄県が1972年に本土復帰を迎える以前の1970年から2015年までの人口推移を示しています。この45年間の間に，やんばるにおいて人口が増加しているのは名護市，恩納村，宜野座村，金武町の1市1町2村の4つであり，残りの8つは減少傾向となっています。

　本土復帰後の1975年を100とした場合，2015年までの間にどのくらい変動したかという指数を計算してみると，人口が増加している名護市で136.4，恩納村で128.9，宜野座村で146.6，そして金武町で111.0となっており，宜野座村の人口増加がもっとも高くなっています。一方，人口が減少している国頭村は74.7，大宜味村73.2，東村74.8，今帰仁村85.9，本部町76.0，伊江村81.1，伊平屋村75.6，伊是名村66.4となっており，伊是名村における人口減少が著しい状況となっているのが現状です。

　次に表2は，沖縄県とやんばる地域における年齢階層（3区分）別にみた1975年と2015年の人口の数値の比較を示したものです。沖縄県そのものは人口増加の様相を示していますが，年齢階層（3区分）別の推移をみると，「0〜14歳」の年少人口は復帰後の1975年時点で沖縄県総人口に占める割合は29.4％であったものが，直近の2015年時点では17.4％と12

表1　沖縄県およびやんばるにおける人口推移

（単位：年，人）

	1970	1975	1980	1985	1990	1995	2000	2005	2010	2015
沖縄県	945,111	1,042,572	1,106,559	1,179,097	1,222,398	1,273,440	1,318,220	1,361,594	1,392,818	1,433,566
名護市	39,799	45,210	45,991	49,038	51,154	53,955	56,606	59,463	60,231	61,674
国頭村	7,324	6,568	6,873	6,510	6,114	6,015	5,825	5,546	5,188	4,908
大宜味村	4,535	4,178	3,626	3,567	3,513	3,437	3,281	3,371	3,221	3,060
東村	2,425	2,300	2,067	2,134	1,891	1,963	1,867	1,825	1,794	1,720
今帰仁村	10,508	11,100	9,593	9,465	9,165	9,486	9,492	9,476	9,257	9,531
本部町	17,152	17,823	15,307	15,116	15,043	14,718	14,522	14,383	13,870	13,536
恩納村	7,433	8,266	8,013	8,268	8,486	8,685	9,064	9,635	10,144	10,652
宜野座村	3,566	3,819	4,022	4,414	4,630	4,651	4,749	5,042	5,331	5,597
金武町	9,953	10,120	9,745	10,005	9,525	9,911	10,106	10,619	11,066	11,232
伊江村	5,842	5,254	5,039	5,055	5,127	5,131	5,112	5,110	4,737	4,260
伊平屋村	2,254	1,638	1,501	1,391	1,456	1,434	1,530	1,547	1,385	1,238
伊是名村	3,279	2,286	2,144	2,003	1,892	1,895	1,897	1,762	1,589	1,517

（出所）総務省統計局「国勢調査」，沖縄県統計局作成

ポイントも減少しており，その逆に「65歳以上」の老齢人口は11.8ポイント増加しており，少子化と高齢化の進行は否めません。

　やんばるの状況をみてみると，人口増加傾向を示している名護市で年少人口は12.1ポイントの減少，老齢人口9.9ポイントの増加で，最も人口増加指数が高かった宜野座村でも年少人口は9.9ポイントの減少と老齢人口10.1ポイントの増加となっています。また，年々人口総数が減少している地域でも同様の傾向が見られますが，とりわけ，本部町においては年少人口13.7ポイントの減少，老齢人口16.9ポイントの増加となっており少子高齢社会の現状が明らかとなっています。

表2　沖縄県とやんばる地域における年齢階層（3区分）別にみた人口の比較（1975年と2015年）

(単位：人、%)

	1975年				2015年			
	総数	0〜14歳	15〜64歳	65歳以上	総数	0〜14歳	15〜64歳	65歳以上
沖縄県	1,042,572	29.4	62.7	7.8	1,433,566	17.4	62.9	19.6
名護市	45,210	29.4	60.8	9.8	61,674	17.3	63.0	19.7
国頭村	6,568	21.2	64.4	14.4	4,908	13.2	56.5	30.4
大宜味村	4,178	17.3	59.6	23.0	3,060	12.2	55.3	32.5
東村	2,300	27.2	59.6	13.3	1,720	13.5	56.3	30.2
今帰仁村	11,100	26.3	58.8	14.9	9,531	15.1	56.8	28.1
本部町	17,823	23.8	61.7	14.5	13,536	14.4	58.6	27.0
恩納村	8,266	25.6	61.7	12.7	10,652	14.8	64.1	21.1
宜野座村	3,819	30.3	56.6	13.1	5,597	20.4	56.5	23.1
金武町	10,120	29.3	62.3	8.5	11,232	17.5	57.3	25.2
伊江村	5,254	27.4	58.2	14.4	4,260	14.3	55.8	29.9
伊平屋村	1,638	24.7	58.4	16.9	1,238	19.1	54.5	26.3
伊是名村	2,286	27.6	54.9	17.5	1,517	15.6	56.7	27.7

（出所）総務省統計局「国勢調査」，沖縄県企画部統計課作成のものを抜粋

（2）沖縄県及びやんばる地域における将来推計人口

　わが国全体としては人口減少に突入しているなかで，将来にわたってわが国並びに沖縄県の将来推計人口はどうなると予測されているのでしょうか。

それらを表したものが表3です。

　表3は，国立社会保障・人口問題研究所が2015年度の人口をもとに，地域別将来推計人口を作成したものから，沖縄県とやんばる12市町村のデータを抜き出し示したものです。わが国の総人口は，2045年まで減少を続けることが推計されています。一方，沖縄県は，2030年までは増加傾向を示し，約147万人まで増加しこの年をピークに減少に入ることが推計されています。

　やんばるの各市町村はどうでしょうか。表2において，人口増加の傾向をみせていた名護市，恩納村，宜野座村，金武町においては若干の増減はみられるものの，それほど大幅な人口減少の様相は推計されていませんが，人口減少の傾向をみせていた残りの8町村においては，人口減少の傾向が止まらないと推計されています。

　このような人口減少と少子高齢社会の到来という社会現象は，わが国においてこれまでに経験をしたことがない事態と言えます。はじめにでも説明し

表3　わが国の総人口及び沖縄県・やんばる地域における将来推計人口

（単位：年、人）

	2015	2020	2025	2030	2035	2040	2045
総人口	127,094,745	125,324,842	122,544,103	119,125,139	115,215,698	110,918,555	106,421,185
沖縄県	1,433,566	1,459,570	1,468,236	1,469,847	1,465,761	1,452,321	1,428,305
名護市	61,674	62,575	63,100	63,292	63,201	62,638	61,543
国頭村	4,908	4,573	4,245	3,932	3,639	3,330	3,011
大宜味村	3,060	2,917	2,774	2,640	2,506	2,367	2,219
東村	1,720	1,626	1,540	1,461	1,381	1,305	1,222
今帰仁村	9,531	9,521	9,453	9,346	9,209	9,048	8,825
本部町	13,536	13,178	12,758	12,311	11,849	11,362	10,812
恩納村	10,652	11,065	11,390	11,651	11,858	11,950	11,926
宜野座村	5,597	5,853	6,049	6,210	6,355	6,453	6,495
金武町	11,232	11,382	11,443	11,436	11,416	11,365	11,249
伊江村	4,260	3,967	3,655	3,348	3,053	2,737	2,418
伊平屋村	1,238	1,154	1,080	1,026	976	931	878
伊是名村	1,517	1,425	1,355	1,283	1,223	1,171	1,112

（出所）国立社会保障・人口問題研究所『日本の地域別将来推計人口（平成30（2018）年推計）』を参考に，作成

ましたが，人口が増加することは企業にとってビジネス・チャンスが広がることになりますが，人口が縮小すると企業等の活動が縮小し，経済そのものが縮小してしまいます。もちろん，企業活動だけが影響を受けるわけではありません。まちに人が住まなくなる，いなくなると，そのまちの運営が立ち行かなくなる事態に見舞われます。財政収入が減少すると，充実した行政サービスがそのまちの人々に提供できなくなるという問題があります。最悪は，そのまちそのものが無くなるかもしれません。

　このような事態を避けるために，2014 年に「まち・ひと・しごと創生本部」が内閣に設置されました。そこでは，わが国の「人口の現状と将来の姿を示し，今後の目指すべき将来の方向を提示する『まち・ひと・しごと創生長期ビジョン（長期ビジョン）』及びこれを実現するため，今後 5 か年の目標や施策や基本的な方向を提示する『まち・ひと・しごと創生総合戦略（総合戦略）』がとりまとめられ」，同年 12 月 27 日に閣議決定されました。首相官邸のホームページを参考に概要を紹介しましょう。

　わが国において，このまま何の施策も講じなければ人口は減少を続け，1 億人を割り込むことになるという推計のもと，2060 年に 1 億人程度の人口を確保する中長期展望を提示（長期ビジョン）するとともに，それを達成するための政策目標や施策等（総合戦略）を策定し取り組んでいくというものです。また，国だけの政策や施策だけでは，当然ながら人口（ひと・まち）の維持やしごとの創生はできません。各自治体も目標や施策に取り組むことが重要となります。国は，各自治体の取り組みに対して多様な支援を行い，地方の自立につながるよう切れ目のない施策を展開していこうというものです。

　沖縄県や北部地域の市町村においても，この「まち・ひと・しごと創生総合戦略」が作成されました。人口減少と少子高齢という現象は各市町村において先ほどもみたようにみな同じ程度で発現しているわけではありません。それぞれの市町村によって現れ方はバラバラです。そのためその市町村独自の戦略が立てられています。詳しくは各市町村のホームページを参考にして

みてください。

3．やんばる地域における産業構造について

（1）全国と沖縄県の産業構造の比較

　次に，産業面についてみていきましょう。沖縄県に占めるやんばる地域全体の産業構造はどのようになっているのか考察する前に，全国と比較して沖縄県の特徴をみることができる「100 の指標からみた沖縄県」（沖縄県企画部統計課作成）の中から産業構造の特徴についてみていきます（表4参照）。

　この「100 の指標からみた沖縄県」のデータは毎年作成され沖縄県ホームページで公表されています。ここでは，最新の平成 26 年度をもとに 10 年前と比較してみたいと思います。

　まず第 1 次産業についてみると，全国的にも全産業に占める構成比は平成 16 年度で 1.24％，平成 26 年度で 1.00％と年々縮小の傾向にあります。沖縄県も同様ではありますが，全国と比較すると産業全体に占める割合は平成 16 年度で 1.90％，平成 26 年度で 1.52％とわずかではありますが，高い状況となっています。また構成比は若干減少しているものの，全国的な順位は

表4　100 の指標からみた沖縄県—産業構造を中心として—

産業構造	平成26年度			平成16年度		
	全国	沖縄県	順位	全国	沖縄県	順位
第1次産業構成比	1.00%	1.52%	22	1.24%	1.90%	25
第2次産業構成比	24.27%	13.86%	46	26.79%	12.73%	47
製造業構成比	18.41%	4.05%	47	20.88%	4.69%	47
建設業構成比	5.77%	9.64%	4	5.78%	7.75%	8
第3次産業	73.93%	84.53%	2	76.01%	89.48%	2
事業所数（民営）	5,359,975所	64,513所	25	5,728,492所	65,609所	30
1事業所当り従業者数	10.72人	8.65人	40	9.09人	6.82人	46
事業所新設率	8.86%	10.22%	4	4.43%	6.13%	1
事業所廃業率	8.77%	9.60%	3	6.58%	8.48%	1

（出所）沖縄県企画部統計課「100 の指標からみた沖縄県」（平成 19 年 10 月版を参考に作成したものである

平成 16 年度の 25 位から平成 26 年度には 22 位へと上がっています。この点については表 5 とあわせて説明していきます。

　次に第 2 次産業構成比においては，全国と比較すると平成 16 年度で 14.06 ポイント，平成 26 年度で 10.41 ポイントの差が出ており，全国的にもほぼ最下位にあります。第 2 次産業の中でも，製造業構成比は全国と比べてもかなり低く最下位である一方，建設業構成比は全国と比べても上位に位置しています。これは，沖縄県経済の特殊な経済事情とも関係しているといえます。その一方で第 3 次産業構成比は，平成 16 年度で 89.48％，平成 26 年度で 84.53％と全国 1 位の東京都に次いで 2 位と高い状況です。

　ここで沖縄県経済の特殊な経済事情についてみていきましょう（山内他 2013 年）。琉球王国時代から沖縄の主要産業は農業であり，甘藷（かんしょ）とさとうきびが主要作物で，特に甘藷は主食として島内で消費されていましたが，砂糖の原料となるさとうきびは換金作物として経済的に重要なものであったため，明治政府が沖縄を砂糖の国内供給基地と位置づけ 1900 年代初頭には県内各地に製糖工場が建設され事業運営が開始されていました。他の産業については 1879（明治 12）年，琉球処分によって琉球王国が消滅し沖縄県が設置された際に，県官吏，警察官，教師などが日本本土から派遣されるとともに，寄留商人と呼ばれた他府県出身の商人や県外資本企業が沖縄に進出し，商業，貿易，製造，金融，海運などの分野で経済活動が展開され，発展していったと整理されています。

　もちろん，これらの本土資本企業に対抗して県内出身者らによる大正，昭和初期にかけて産業への進出がみられています。戦前戦後の沖縄の発展に大きく寄与したのが建設業でした。個人の住宅や事業所とともに公共施設，道路整備等の公共工事を請け負うことで大きな貢献を果たしています。これらの歴史的な環境が現在の沖縄の産業の大きな特徴として表 4 のような状況をもたらしています。結果として，沖縄の産業構造の大きな特徴として第 3 次産業の比率が高く，一方で製造業の比率が低いということが，企業活動の結果として算定される生産性や付加価値の低さを招き，そのことが県内所得水

準の低さを招いているとされています[1]。

（2）沖縄県に占めるやんばるの産業構造

　次に沖縄県に占めるやんばるの産業構造についてみていきましょう。表5は，総務省統計局による経済センサス調査[2]をもとに，平成26年度時点で公務を除いた全産業についての事業所数と従業者数そして割合を沖縄県全体とやんばるそれぞれで示しており，さらに沖縄県全体にやんばるが占める割合も表示しています。

　前掲の表4で確認したように，沖縄県は第3次産業構成比が東京都に次いで高い割合でした。その第3次産業の中でも，最も高い割合を示しているのが事業所数で「卸売業，小売業」で24.8％，次いで「宿泊業，飲食サービス業」で18.3％です。また従業者数でみると事業所数でも最も高かった「卸売業，小売業」が21.3％ですが，事業所数ではそれほど高い割合ではなかった「医療，福祉」が16.6％，3番目に「宿泊業，飲食サービス業」が13.7％と多くの方の雇用の場となっています。「卸売業，小売業」の多さは，最近の沖縄県内でのイオンやサンエーをはじめとした大規模小売業の店舗が米軍の跡地を利用した再開発事業として展開されたり，また「宿泊業，飲食サービス業」においても，近年の国内並びに海外からの観光客の著しい増加に伴いホテルの建設ラッシュが大きな要因となっています[3]。

　一方，やんばるの状況についても，沖縄県と同様ですが，やんばる，北部12市町村の総数を100とした場合，「卸売業，小売業」の割合は事業所数で25.5％，「宿泊業，飲食サービス業」で22.9％と他の産業と比べて群を抜いて高い割合となっています。

　一方，従業者数は，「宿泊業，飲食サービス業」で20.6％と最も高く，事業所数の割合はそれほど高くない「医療，福祉」が18.1％と2番目に位置づけられ，「卸売業，小売業」が17.3％と続いています。また，やんばるにおける事業所数や従業者数において高い割合を示しているわけではありませんが，沖縄県全体での割合と比較すると高くなっているのが，「農林漁業」

の第1次産業構成比と「製造業」です。

　これらの点を，沖縄県に占めるやんばるの割合でみてみると，「農林漁業」においてはやんばるで事業所数50.5％と半数を，従業者数は26.8％と約3割を占めていることがわかります。次いで「鉱業，採石業，砂利採取業」で事業所数25.0％，従業者数22.5％，「複合サービス業」で事業所数16.2％，そして「宿泊業，飲食サービス業」，「製造業」が続いています。沖縄全県の

表5　沖縄県とやんばるの産業構造状況（平成26年度）

	沖縄県				やんばる				沖縄県に占める やんばるの割合	
	事業所数	割合(%)	従業者数(人)	割合(%)	事業所数	割合(%)	従業者数(人)	割合(%)	事業所(%)	従業者(%)
全産業(公務を除く)	65,164	100.0	543,072	100.0	6,408	100.0	49,488	100.0	9.8	9.1
農林漁業	440		3,385		222		906		50.5	26.8
農業、林業	413	0.6	3,115	0.6	112	1.7	922	1.9	27.1	31.8
漁業	27	0.0	270	0.0	6	0.1	56	0.1	22.2	20.7
非農林漁業(公務を除く)	64,724		539,687		9,551		47,900		14.8	8.9
鉱業、採石業、砂利採取業	24	0.0	222	0.0	6	0.1	50	0.0	25.0	22.5
建設業	4,290	6.6	38,830	7.2	443	6.9	4,096	8.3	10.3	10.5
製造業	3,148	4.8	32,671	6.0	363	5.7	3,171	6.4	11.5	9.7
電気・ガス・熱供給・水道業	38	0.1	1,982	0.4	3	0.0	111	0.2	7.9	5.6
情報通信業	667	1.0	12,498	2.3	31	0.5	421	0.9	4.6	3.4
運輸業、郵便業	1,348	2.1	25,952	4.8	119	1.9	1,342	2.7	8.2	5.2
卸売業、小売業	16,150	24.8	115,506	21.3	1,637	25.5	8,551	17.3	10.1	7.4
金融業、保険業	857	1.3	12,529	2.3	54	0.8	504	1.0	6.3	4.0
不動産業、物品賃貸業	5,598	8.6	18,092	3.3	316	4.9	1,020	2.1	5.6	5.6
学術研究、専門・技術サービス業	2,568	3.9	15,913	2.9	182	2.8	931	1.9	7.1	5.9
宿泊業、飲食サービス業	11,919	18.3	74,174	13.7	1,466	22.9	10,193	20.6	12.3	13.7
生活関連サービス業、娯楽業	6,104	9.4	27,051	5.0	614	9.6	2,889	5.8	10.1	10.7
教育、学習支援業	2,854	4.4	17,348	3.2	178	2.8	1,663	3.4	6.2	9.6
医療、福祉	4,831	7.4	90,148	16.6	404	6.3	8,949	18.1	8.4	9.9
複合サービス事業	364	0.6	6,112	1.2	59	0.9	692	1.4	16.2	11.3
サービス業(他に分類されないもの)	3,964	6.1	50,659	9	415	6.5	3,312	6.7	10.5	6.5

（出所）総務省統計局「経済センサス―基礎調査」（平成26年度版）より作成
＊割合（％）は，全体に占める割合を示したものである

中で最も高い割合を示している第1次産業についてみていきましょう。

　図2は，沖縄県における農林水産物の主な産地を記したものとなっています。これは，農林水産省「生産農業所得統計」及び沖縄県作成の「農林水産戦略品目拠点産地認定状況」をもとに作成されています。沖縄県は，亜熱帯地域という温暖な気候に恵まれ，本土には見られない特徴的な農作物が多く栽培され生産されています。先述したようにさとうきびを初めとして，パインアップル，マンゴー，シークァーサー，パッションフルーツ，アセロラなどの果樹，ゴーヤ，オクラ，にんじん，島らっきょうなどの野菜，きく（花き），肉用牛，そしてモズク等の産物が豊富です。特に，昔からさとうきび生産は，沖縄の地域に根付いた農業であることから，地域社会や地域経済の

図2　沖縄における農林水産物の主な産地

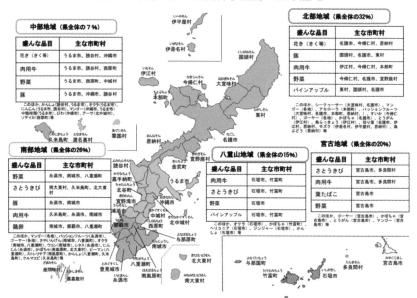

（出所）内閣府沖縄総合事務局農林水産部「沖縄の農林水産業の現状と課題」（平成30年2月）2ページから抜粋したものである。
（資料）農林水産省「生産農業所得統計」（平成18年）及び沖縄県「農林水産戦略品目拠点産地認定状況」をもとに作成されている。

維持発展を支えるものとなっています。沖縄県全域で，最も高い数値を示しているのが，やんばる，北部地域であり，農林水産業の比率が県全体の31％となっています。1972年の復帰後，生産基盤整備や近代化施設の導入等で沖縄県の農業は飛躍的に産出額を伸ばしてきたといわれています[4]。特に最近では，農林水産業の6次産業化（生産から加工，販売までの取り組み）への取り組みが活発に行われています。その成果が図2のように表れています。6次産業化の事例は後述の章において参照してください。

4．まとめ

　沖縄県は1972年に本土復帰を果たして以来，10年ごとに国が主導して振興計画が策定されてきました。沖縄振興特別措置法制度のもと第1次から第3次（1972年〜2001年）までの約30年間の「沖縄振興開発計画」（以下，計画）では，主に本土との格差是正を大きな目標として社会資本の整備が進められました。しかし沖縄特有の問題として，製造業基盤の弱さ，本土との所得格差（1人当り県民所得の低さ）などは依然として課題として残されたままでした。

　その後，沖縄振興特別措置法制度の改正が行われ，第4次計画では民間主導の自立型経済の構築を目指して計画が策定され，本県の特徴である観光産業の振興に大きな貢献を果たしています。

　そして2012年の第5次からは「沖縄21世紀ビジョン基本計画（沖縄振興計画）」として，国の主導ではなく沖縄県自らが策定し実施されています。そこでは沖縄の主体性をもとに，民間主導の自立型経済がうたわれ，地域社会と地域経済の好循環の関係が沖縄の自立的・持続的な発展をもたらす原動力につながるようにと，地域経済の持続的発展とともに地域社会の安定や構築が目標とされています。

　「沖縄の自立」に向けて，沖縄の各地域がもつ資源を有効に活用するかたちで農林水産業や観光産業の活性化に加えて，新たな企業誘致や情報通信産

業の育成・振興に取り組まれており，やんばる地域もその一端を担っています。今後の躍進を期待していきましょう。

注
1）日本銀行那覇支店ホームページ「うちな～金融経済レビュー　沖縄県の所得水準はなぜ低いのか（現状・背景・処方箋）」（2018年10月5日）参照。
2）総務省統計局のホームページをみると，これまでわが国の産業を対象とする大規模な統計調査は産業分野ごとに各府省によりそれぞれ異なる年次及び周期で実施されていたため，同一時点における全体の包括的な産業構造統計を作成できない状況にあったことから，「経済財政運営と構造改革に関する基本方針2005」（平成17年6月21日閣議決定）で経済活動を同一時点で網羅的に把握するために実施が提言され，「経済センサス」調査が出てきました。この調査は，まず事業所・企業の基本的構造を明らかにする「経済センサス―基礎調査」と事業所・企業の経済活動の状況を明らかにする「経済センサス―活動調査」の2つから成り立っています。「経済センサス―基礎調査」は平成21年7月に第1回そして平成26年7月に第2回目の調査が実施され，「経済センサス―活動調査」は平成24年2月に第1回そして平成28年6月に第2回目が実施されています。今回は，この「経済センサス―活動調査」の第1回目と第2回目を基本に用いています。
3）観光業に関しては大谷健太郎・新垣裕治編（2018）『やんばると観光』で詳細に紹介されていますので参考にしてください。
4）関満博編（2012）『沖縄地域産業の未来』40頁参照。

参考文献等
大谷健太郎・新垣裕治編（2018）『名桜大学やんばるブックレット④　やんばると観光』沖縄タイムス社
大野哲明・佐々木保幸・番場博之編著（2015）『格差社会と現代流通』同文舘出版
沖縄県ホームページ　https://www.pref.okinawa.jp/（閲覧日：2019年7月31日）
関満博編（2012）『沖縄地域産業の未来』新評論
国立社会保障・人口問題研究所 http://www.ipss.go.jp（閲覧日：2019年7月31日）
首相官邸ホームページ https://www.kantei.go.jp（閲覧日：2019年7月31日）

総務省統計局 https://www.stat.go.jp（閲覧日：2019 年 7 月 31 日）

内閣府沖縄総合事務局農林水産部「沖縄の農林水産業の現状と課題」（平成 30 年 2 月）
　　　　http://www.ogb.go.jp（閲覧日：2019 年 7 月 31 日）

内閣府　https://www.cao.go.jp（閲覧日：2019 年 7 月 31 日）

日本銀行那覇支店ホームページ　https://www3.boj.or.jp/naha（閲覧日：2019 年 7 月
　　　31 日）

山内昌斗・上間創一郎・城間康文（2013）「沖縄における企業の生成・発展に関する史
　　　的研究」『広島経済大学経済研究論集』（第 36 巻第 2 号），39-53 頁

2章　中小企業におけるブランド化への取り組み
—勝山シークヮーサーとアセローラフレッシュを事例に—

林 優子

1．はじめに

　企業にとってブランドとはどのようなことを意味するのでしょうか。ブランドと聞くと，すぐに思い浮かぶのは，アパレルやファッション商品についた名前，企業名，そしてシンボルやマークと，かなり身近に様々なものが存在しています。そのため，それらの名前やマークなどをみると，知っているものであればその商品や企業への親しみがわいたり，使ってみたいという安心感などの感覚を抱くことは多いのではないでしょうか。その逆で聞いたことがない，知らないとなると，怪しい，信頼・安心できないなどの感情が出てきたりします。

　このように考えると，ブランドとはとても大きな意味があるものと考えてよいでしょう。企業にとってのブランドは，単なる商品の名前であり，企業名そのものでもあるのですが，その「ブランド」があるのとないのではその商品を受け取る側の感覚や感情に大きな影響を与えます。

　この章では，企業がブランドをつくっていくという事はどのような意味や効果があるのかを考えていきたいと思います。それらが特にその企業が立地している地域にどのようなことをもたらすのかについて考えていきます。近年，企業のブランドづくりと地域の活性化が大いに関係しているといわれています。ここでは，大企業のブランドづくりではなく，中小企業におけるブランドづくりに注目していきます。なぜなら，沖縄県における企業全体に占

める規模の割合をみると，平成 26（2014）年度時点で 49,231 企業のなかで，大企業に分類されるのは 73 企業（0.1%）で，残り 49,158 企業（99.9%）が中小企業 [1] に分類されています（中小企業庁『2017 年度版中小企業白書―付属統計資料 6 表』より）。元々中小企業は地元・地域密着型の企業活動が多く，地域に根付いている企業です。中小企業の中でも特に，「やんばる」の地に根ざし，ここから誕生した企業を取り上げ，その活動を考察していきます。

　以下では，やんばる地域に立地し，地域活性化に取り組んでいる「農業生産法人有限会社勝山シークヮーサー」と「農業生産法人株式会社アセローラフレッシュ」を取り上げていきます。各社の取り組み等に関する情報は，各社のホームページ，農林水産省の調査・報告書，独立行政法人中小企業基盤整備機構の報告書を中心としながら紹介していきます。

2．企業におけるブランド化と沖縄県における地域ブランド化

（1）ブランドとは

①ブランドの定義

　「ブランド」とはそもそも何かについて説明していきましょう。もともとは，ネーム，シンボル，マーク，ロゴからなり，歴史的にはある生産者の製品を他の生産者のそれから区別する手段として出てきたもので，その語源は焼印をつけることを意味します（陶山・梅本 2000）。その後，このブランドはファッション製品や高級品に付いた名前というだけの存在ではなく，あらゆる企業にとって競争相手の企業と戦う上での重要なものであると考えられています。これは「ブランド」が持続的な競争優位をもたらす重要な経営資源であるという研究につながり，ブランド戦略は企業の商品開発などのマーケティング戦略や企業経営に重要なものとして定着してきています（陶山・宮崎・藤本 2002）。

②地域ブランドの考え方

　商品に付いたブランドの基本的な働きは，それに固有の差別優位的な意味をもたせる，つまり他の商品と比較して違いや何らかの優れた点を明らかに示すためのもので，ネーミングやデザイン，さらにはスローガンをまとめて提示・提供することによって受け手側に興味や関心をもってもらうことにあります。今日ではこのことを原点としてブランドを構築する対象を商品から事業へ，さらには企業，産業へ拡大し，ブランドのパワーを活用することによる単なる商品のブランド化から，広く地域のブランド化戦略へと発展してきています（陶山・妹尾 2006）。

　ここで地域ブランドとは何かというと，使う人や場面によって様々な表現になっていますが，経済産業省が示している地域ブランドの定義を紹介しましょう。地域ブランド化とは，「『地域発の商品・サービスのブランド化』と，『地域イメージのブランド化』を結びつけ，好循環を生み出し，地域外の資金・人材を呼び込むという持続的な地域経済の活性化を図ること」であるとしています。このように地域ブランドとは，「地域発の商品・サービス」や「地域イメージ」に対して顧客（消費者や観光客等）が高い評価をし，販売や来訪客増を通じて地域経済の発展・活性化につながっていくものだと考えられます。「地域発の商品やサービスのブランド化」に取り組むことにより，地域の商品の競争力を高め，「地域イメージのブランド化」によって地域に暮らす人々にとっての価値を高めたり，その価値を共有したりする「支持者・賛同者」を広げていくことで，魅力ある商品づくりや地域づくりにつながっていきます。

③地域ブランド化への取り組み

　ではこの地域ブランドを確立するためには，どうすればよいのかというと，地域団体商標制度に基づいて登録をすることからはじまります。「地域団体商標」とは，地域名と商品（サービス）名を組み合わせて，ブランドとして登録できる制度で，地域ブランドを適切に保護することにより，信用力の維持による競争力の強化と地域経済の活性化を支援することを目的として2006 年 4 月に創設されました（沖縄県ホームページ，経済産業部地域経済

課知的財産室より）。出願できるのは，事業協同組合，農業協同組合などの法人格を持つ組合で，任意団体や企業，個人は出願できません。地域名は，都道府県・市町村名のほか，山岳・河川・海域名なども対象となります。例えば，長崎カステラ，駿河湾桜えび，和歌山ラーメンなどです。商標登録することによって，商標の便乗使用などに対し使用さし止めや損害賠償を請求できます。これまでの制度で，「地域名＋商品（サービス）名」を商標登録することは，地域名はその地域の共有財産であり，特定の者の独占になじまないなどの理由から原則として認められていませんでした。ただし，例外として全国的に知名度を獲得している場合や図形や文字と組み合わせた場合のふたつのケースに限って登録することができましたが，その要件は厳しく，登録数はきわめて限られていました。特に文字だけで商標登録されたのは「夕張メロン」「前沢牛」「佐賀牛」「宇都宮餃子」「富士宮やきそば」などわずか 12 件でした。

　一方，文字とデザインを組み合わせた図形商標を登録していたのが「関あじ」「関さば」などです。しかし図形商標は図形を替えたり文字だけを使用するケースには商標権の効力が及ばないし，また一部を替えただけでも誰でも使用できるという問題がありました。このため偽物が多く出回ることにもなっていました。さらに，申請から登録までに長い年月を要し，その間に類似・偽装表示などの便乗使用を防ぐ手立てがなかったなどの問題もあり，制度改正が行われたのでした。

　2018（平成 30）年 3 月時点で，全国で 626 件の地域団体商標が登録されています。登録数の多い都道府県は，「京都府」で登録件数 63 件と最も

表1　地域団体商標登録件数上位都道府県一覧

順位	1位	2位	3位	4位	6位
都道府県	京都府	兵庫県	石川県	北海道・岐阜県	静岡県
登録件数	63件	36件	29件	28件	21件

（出所）特許庁（http://www.jpo.go.jp）2018 年 4 月現在

多く，次いで「兵庫県」36件，「石川県」29件，「北海道」「岐阜県」は同数で28件となっています。ちなみに「沖縄県」は17件となっており，「静岡県」（21件），「福岡県」（19件），「東京都」（18件）についで第9番目の登録数となっています（表1参照）。

（2）沖縄県におけるブランド化への取り組みの現状

　それぞれの地域では，元来その地域にある資源，例えば，その地域でしか収穫・生産できないような農水産物であったり，昔ながらに育成されてきた伝統的な商品であったり，さらには祭りや催しものなどの文化的な要素など，その地域特有の資源，すなわち地域資源と呼ばれるものを大事に守り，継承すべきものは継承し，後世まで育んでいこうと様々な取り組みを行っています。沖縄県も例外なく，しかも温暖な気候にも恵まれ，特色ある歴史を積み重ね現在に至っています。多くの地域では，これらの地域特有の資源を観光資源として活用することで国内外から多くの観光客を招きいれ，その地域の経済振興につなげています。

　ただ，地域資源はその地域に特有のものではありますが，企業の努力によって類似の商品が開発されたり，元々似通った資源であったことからあまり区別ができにくいものが存在しているのも事実です。このような状況になると，せっかくのその地域にしかないものという，珍しさ・目新しさといった「希少性」が無くなってしまいます。そこで，他の地域のものと自分たちのそれとの明確な違いをしっかりとアピールする必要が生じたことから，地域ブランドについて商標登録する制度がスタートしました。

　沖縄県は2018年4月時点で17件の地域団体商標登録があります。その一覧は表2に示しています。

　沖縄県内において，最初の地域団体商標に登録されたのは「石垣の塩」（2006年登録）で，最も新しいものが2017年登録の「沖縄シークヮーサー」です。表2に見られるように，沖縄県で登録されたのは17件で，伝統的なものであったり，沖縄独自に開発され古くから食されているもので，こ

れまで培ってきた技術や伝統を守りながら，産業として地域に根付いています。以下では，「地域ブランド化」への取り組みとして新しく地域団体商標に登録された「沖縄シークヮーサー」を活用した商品開発に取り組んでいる企業（「地域イメージのブランド化」）と，地域に新たな特産品として産業化に貢献している「アセロラ」を活用した商品開発に取り組んでいる企業（「地域発の商品・サービスのブランド化」）を取り上げてその活動内容についてみていきましょう。

表2　沖縄県の地域団体商標登録の一覧

登録商標（よみがな）	権利者
石垣の塩（いしがきのしお）	八重山観光振興協同組合
沖縄そば（おきなわそば）	沖縄生麺協同組合
琉球びんがた（りゅうきゅうびんがた）	琉球びんがた事業協同組合
首里織（しゅりおり）	那覇伝統織物事業協同組合
本場久米島紬（ほんばくめじましつむぎ）	久米島紬事業協同組合
沖縄黒糖（おきなわこくとう）	沖縄県黒砂糖協同組合
八重山かまぼこ（やえやまかまぼこ）	八重山観光振興協同組合
石垣牛（いしがきぎゅう）	沖縄県農業協同組合
壷屋焼（つぼややき）	壷屋陶器事業協同組合
宮古上布（みやこじょうふ）	宮古織物事業協同組合
琉球かすり（りゅうきゅうかすり）	琉球絣事業協同組合
琉球絣（りゅうゆうかすり）	琉球絣事業協同組合
沖縄赤瓦（おきなわあかがわら）	沖縄県赤瓦事業協同組合
読谷山花織（ゆんたんざはなうい）	読谷山花織事業協同組合
知花花織（ちばなはなおり）	知花花織事業協同組合
沖縄シークヮーサー（おきなわしーくゎーさー）	沖縄県地域ブランド事業協同組合／沖縄県農業協同組合
琉球泡盛（りゅうきゅうあわもり）	沖縄県酒造組合

（出所）特許庁（http://www.jpo.go.jp）2018 年 4 月現在，沖縄県のものを抜粋したものである

3．北部・やんばるの特産品「シークヮーサー」と「アセロラ」

（1）「シークヮーサー」活用によるブランド化への取り組み

まずシークワーサーの生産から加工・販売まで手がけ，地域振興にも精力

的に取り組んでいる「農業生産法人有限会社勝山シークワーサー」(以下，勝山シークヮーサーと略)からみていきましょう。

①会社概要 (ホームページ参照)

　勝山シークヮーサーは，沖縄県名護市勝山地区において 2003 (平成 15) 年 9 月に設立されました。設立にいたった経緯・背景を振り返ってみると，1980 年代半ばごろに地区として人口減少が続き，地元の農業の担い手不足が課題として出てきたことから，何か手立てをとらなければという思いから農業による活性化策に乗り出しました。農家が安定して生活できる環境を整えていくためにはどうすべきか，そこで注目されたのが昔から地域にあるものを資源として活かしていく，自生するシークヮーサーを活用していこうというものでした。農業改良普及センターの協力のもとシークヮーサーの生産に取り組みました。まずは当時，39 戸の生産者が中心となって出荷組合を設立 (平成 13 年) し，生産と出荷そして販売体制を構築することで，平成 15 年加工施設を整備し会社の設立にいたっています。

　そこで会社の経営理念として，「1．農業・農村を蘇らせる！(存在理由・価値ある会社)」「2．うまんちゅに役立つ価値を生む！(利益を創出する会社)」「3．分かち合う！(シークヮーサー生産農家　顧客と調和する会社)」「4．進化する！(走りながら・常に考え環境に順応する会社)」「5．うまんちゅの喝采を受ける！(世間の人々に愛され，喜ばれる会社)」を掲げ，日々努力を重ね 2018 (平成 30) 年で 15 年を迎えています[2]。

　事業内容は，主に「農産物の生産 (シークワーサーの栽培)」と「農産物の加工・販売 (シークワーサー果汁の製造)」が掲げられ，代表的な商品として「ses-sun 勝山シークワーサー沖縄県産果汁 100％」，「sea-sun 勝山シークワーサーゴールド」をはじめとしたジュース，シークワーサーやカーブチのジュレ，新商品として「沖縄県産果汁 100％勝山シークワーサー青切り」や「沖縄県産果汁 100％勝山シークワーサー完熟」ジュースなどがあります。これらの商品は主に，勝山本社の店舗や県内の主要な小売店舗，土産店，物産店，さらには道の駅などに所狭しと陳列され販売されるととも

に，通信販売やインターネットでの販売も行われています。

②商品開発・ブランド化への取り組み

　まず，シークヮーサーは，8〜9月は青切り用といってかなり酸味が強い
もの，10〜12月のものは加工用に，そして1〜2月のものは完熟果用と
いう具合に収穫時期と成熟度合いで分けられ，多用されています。

　勝山シークヮーサーでは，これらに合わせて先に紹介したような商品を多
く開発しています。その商品開発において最もこだわっていることは，まず
は勝山産の「シークヮーサー」を全て契約農場から仕入れ，減農薬栽培とト
レーサビリティ（栽培管理）を採用し，徹底して品質と安全管理を行うとい
うものです。シークヮーサーの果皮表面についたキズや腐敗したものは取り
除き，作業員の目で確実にチェックし，洗浄と選別を繰り返し行い，製造に
おいてはシークヮーサーの風味と香りをそのまま活かせるような手搾りに近
い搾汁機を使用して製造されています。また，シークヮーサー果汁100％
を目指すために無添加・無着色で商品化を行っているため，他の商品と比較
して賞味期限も短く（120日）設定されています。

　このようなこだわりで製造された「勝山シークヮーサー100％果汁 sea-
sun 勝山シークヮーサー」は，2012年から2017年までの6年連続でITQI
（国際味覚審査機構）から最高賞三ツ星を受賞するとともに，2014年には
「モンドセレクション」にて金賞を受賞している「世界が認めた」商品であ
り，「沖縄県優良県産品」としても認定されています。

　農林水産省が毎年種類別栽培状況を調査し，都道府県別に整理したものの
中から，沖縄県における「特産果樹生産出荷実績調査（かんきつ類の果樹
計）」を示したものが表3です。本県におけるかんきつ類は，ほぼシークヮ
ーサーとタンカンの2種類で占められています。勝山シークヮーサーが創設
されてからシークヮーサーは順調に収穫量を伸ばしていますが，ただよく表
3をみると，かんきつ類の中でも，シークヮーサーはたくさん果実がなる年
があると，次の年にはあまり果実がつかないという隔年結果性（出荷状況を
示す）が著しいのが問題でありました。最近ではその防止技術も開発され，

適正な肥料量の検討などがなされようやく安定生産が可能になってきています。

　このように様々な要因が，シークヮーサーの商品化，ブランド化の後押しをしてくれていますが，シークヮーサーが持っている効能がメディアで発信されたことをきっかけに，シークヮーサー・ブームがおき，かなり高い価格で取引が行われるようになり，そこへ海外産の似た果樹も市場に出回り，偽物も多く多用されるようになっていきました。これらを防ぐために，「沖縄シークヮーサー」という地域ブランドとして登録されるようになりました。

　登録対象となったのは県産シークワーサーの果実ですが，シークワーサーを原料とした飲料など加工食品も商標を使用できます。原料に県産シークワーサーを使っていても，他のかんきつ類が混ざる場合は，かんきつ類との差別化を図る観点から「沖縄シークヮーサー」の商標利用は認めない方針となっているようです。

　さらにシークヮーサーには，近年，多くの研究機関による研究開発の結果，健康上有用な成分が，果皮の部分に含有されており，大きな効果を生み出すことが証明されています（広瀬2012）。それがシークヮーサーに含まれている「ノビレチン」というもので，血糖値の上昇を抑える働き，発がん性抑制作用，慢性リウマチの予防や治療，さらに抗認知症作用があるというものです。ノビレチンそのものは，みかんなどの柑橘系の植物に多く含まれている成分のようですが，他に比較してシークヮーサーにはかなりの含有量があるという研究結果があります。これらの有用性を，成果を活かした商品開発に取り組む必要があります。最近ではシークヮーサーの果皮だけではなく，種子に注目して，沖縄工業高等専門学校と共同で研究開発を進め，「種子油」が開発されています。

　このような取り組みが評価されて平成23年度には，農林水産大臣賞（村づくり部門）も受賞されています。

表 3　特産果樹生産出荷実績調査：かんきつ類の果樹計（沖縄県）

	栽培面積（ha）	収穫量（t）	出荷量（t）	シークヮーサー
平成15	438.9	3083.1	2806.0	1031.0
平成16	479.2	3181.0	3062.0	1398.1
平成17	493.1	3629.7	3443.9	1126.0
平成18	541.2	3381.5	2806.2	1260.0
平成19	464.3	5056.0	4962.0	2471.0
平成20	527.8	6964.6	6393.5	3555.0
平成21	514.3	4476.6	4177.0	3138.5
平成22	483.6	3639.1	2833.9	2432.0
平成23	519.3	2168.4	2134.8	1706.9
平成24	634.5	2401.5	2276.6	1416.6
平成25	640.2	4252.6	4153.9	3478.8
平成26	634.2	3598.7	3598.7	2798.7
平成27	633.4	4949.1	3487.1	3676.1

（出所）農林水産省ホームページ：「果樹に関する統計データ」より作成

図 1　代表的な勝山産のシークヮーサーを活用した商品

（引用）勝山シークワーサーホームページより抜粋

（2）「アセロラ」活用した地域ブランドづくり

　次にアセロラを地域の新たな産業として根付かせようと立ち上がった「農業生産法人株式会社アセローラフレッシュ」（以下，アセローラフレッシュと略）の地元発の商品ブランドへの取り組みをみていきましょう。

　アセロラという表現は大手食品企業が商標登録しているもので，アセローラフレッシュが使用しているアセローラとは，スペインにある姫りんごの果実「アセロロ」に似ていたことから名づけられたもので，スペイン語にその語源があるといわれています。そのため，この章では果実全般にかかわる表現をする場合にはアセロラ，アセローラフレッシュに関連するものはアセローラと表示しています。

①会社概要（並里 2012 年）

　アセローラフレッシュは，沖縄県本部町並里に 1989(平成元) 年に創業し，1999（平成 11）年 11 月に設立されました。設立にいたった経緯を振り返って見ましょう（会社ホームページ）。設立者である故並里康文氏が，琉球大学農学部の学生時代に「現存する植物の中で最もビタミンＣが高いのがアセロラ」ということを講義の中で聞き，それがきっかけで研究を進めたのが始まりであったといいます。元来，アセロラは，中央アメリカを原産とする常緑低木の果樹で，ブラジルやハワイ等で広く栽培され，加工が行われています。様々な研究機関による研究成果として，果樹の中で，ビタミンＣ含量が著しく高い果実であることが証明されています。このアセロラは，1958（昭和 33）年に琉球政府が，戦後の復興のための経済果樹として沖縄熱帯果樹の専門家であるヘンリー仲宗根氏に依頼しパパイヤ，パイン，レイシ等と共にハワイから導入されたものです。その原木が本部町嘉津宇の民家に残っていたことから，並里氏の地元であった本部町での取り組みが始まりました。元々，本部町はサトウキビ産業も盛んに行われていましたが，どの地域でも課題となっている後継者不足による農業人口の減少もみられ，またサトウキビの収穫が重労働を極めていたことなどから，サトウキビに代わる作物がないかと検討されていたこともあり，本部町での取り組みにつながっ

たとされています。創業当初は，3戸（8名）の農家の協力のもと栽培を始められました。2018（平成30）年で30年目を迎えています。

　アセローラフレッシュの理念は，「フレッシュな美味しさの提供」「ブランドを育む」そして「ステークホルダーと共に」の3つを掲げ，国産アセローラの栽培と商品開発，上質な商品を上質なブランドイメージとともにプロデュースし，送り手（生産者・加工者）と受け手（流通業者・一般消費者）の双方の利益を尊重し事業を発展させていくことを目標に日々活動が行われています。

　事業内容は，アセローラ生産農家の育成，アセローラの集荷・出荷，アセローラの商品の加工・製造・販売，アセローラ流通経路の確立，アセローラによる地域づくりとなっている。主な商品は，「アセローラパウダー」，「アセローラフローズンの素」，「フローズンゼリー」，「アセローラジュース」，「冷凍果実」，「アセローラ果汁50％ドリンク」などです。これらの商品は主に，本部町本店アセローラフレッシュやもとぶ商店をはじめとして，県内の主要な小売店舗，土産店，物産店，さらには道の駅などでの店頭販売に加え，通信販売やインターネットでの販売も行われています。また，本部町内のカフェ並びにホテル（万座ビーチホテル）でカフェメニューとして提供されています。

②商品開発・ブランド化への取り組み

　まず，アセロラは，収穫しても常温で2～3日程度しか持たないため，そのままではなかなか市場に出回らないという特性があります。また，熱帯果実であるため日本中のどの地域でも栽培できるわけではなく，露地栽培としては沖縄県が北限と考えられています。以前は鹿児島県南部や愛媛県等でも栽培されていたようですが，現在では沖縄県での栽培が主となっています。栽培も最初から順風満帆であったわけではなく経済果樹として導入された当初，台風の影響で倒木となったり鳥害にあったりと，困難な状況が続いたようです。生産農家の努力とそれを支援・指導してきた並里氏らの功績，並びに本部町の土壌や地形がアセローラの生育には適していたこともあり，現在で

はアセロラの生産拠点地となりました。本部町はアセローラの町として知名
度が高まり1999年にアセロラが初収穫される時期5月12日を「アセロー
ラの日」として，町で制定しています。

　表4は，農林水産省が毎年種類別に果樹栽培の状況を調査し，取りまとめ
たものの中からアセロラだけを抜粋して作成したものです。栽培面積は拡大
傾向にありますが，これは沖縄県内での産地の拡大も示してます。収穫量や
出荷量の増減には，天候等の自然的環境が大きく影響しているため若干の増
減は見られるものの安定した状況を示しています。

　アセロラの商品開発は，アセロラそのものの知名度が無いことから青果で
の需要は見込めなかったため加工品としてアセロラジュースの製造から始め
られました。そのアセロラジュースを地元ホテルに持っていったところ快く
取り扱ってもらえ，そこからアセロラの消費が始まりました。最初は地元の
ホテル，そして地元の飲食店，さらに町外のホテルへと販売先を拡大してい
きました。

　栽培当初は，ビタミンC含量が豊富であることで健康によい商品という
位置づけから，その後の研究でアセロラが持つ色，つまり赤い色がポリフェ
ノール含有量が高いことが確認されたことから食材としての価値も付与さ
れ，それらがメディアに取り上げられ大きな反響を呼びました。

　このようにアセロラ本来の持つ機能性に注目し活動を続け，地域産業の新
たな創出にも尽力した結果，本部町（観光協会や商工会も含まれる）との連
携のもと「アセローラの日」が制定され，それをメディアが大きく報道した
ことから，ニチレイ，サントリーそしてイオングループといった大手企業と
の連携により，その知名度を上げ，ブランド化につながっていきました。本
部町内でも，アセロラを活用し化粧品やお菓子などアセロラで起業した業者
もあり，新規就業にも大いに貢献しています。

表4　特産果樹生産出荷実績調査：アセロラ（全国計）

	栽培面積（ha）	収穫量（t）	出荷量（t）	加工向け（t）
平成15	5.1	24.0	24.0	14.0
平成16	7.1	26.8	26.8	24.0
平成17	7.7	42.0	42.0	41.7
平成18	8.5	49.9	49.9	46.7
平成19	8.8	41.6	35.0	29.5
平成20	9.1	80.9	63.8	59.0
平成21	8.9	47.6	47.6	23.9
平成22	8.0	29.1	28.1	23.4
平成23	10.0	36.8	35.8	22.1
平成24	9.9	31.0	30.0	26.4
平成25	7.3	23.3	22.3	8.2
平成26	6.4	25.8	25.8	14.7
平成27	6.0	22.7	22.7	11.4

（出所）農林水産省ホームページ：「果樹に関する統計データ」より作成

図2　アセローラコンポート（左）とアセローラフローズンとアセロラの実（右）

（出所）アセローラフレッシュ会社ホームページより引用

5．むすびに

　本章では，やんばる地域に立地し，地元産業の振興や地域活性化に取り組んでいる勝山シークヮーサーとアセローラフレッシュの2社の会社設立から商品開発・ブランド化への取り組みについて取り上げました。沖縄県はまだ他と比較して人口増加の勢いの中にありますが，北部やんばるでは人口減少と高齢社会の中にあります。地方から都会へと若者が流出することで，企業や地域も次世代を担う人材の確保に大きな課題を抱えています。そのような状況下にあり，地域をどうにか盛り上げ，活性化へつながる仕組みを模索しながら現在の地域を築いている2社の取り組みは，北部やんばるの将来に大きな期待をもたらすものになるでしょう。ブランド化は両社とも，確立されましたが，今後，さらなる付加価値を考慮した商品開発が求められています。様々なエビデンスに裏づけされた，その機能に見合った商品開発です。今後の活躍に期待していきましょう。

注
1）中小企業とは，中小企業基本法において，資本金規模と常時雇用する従業員数の規模で分類されています。「製造業・建設業・運輸業，その他の業種（卸売業，サービス業，小売業を除く）」の場合は資本金が3億円以下で　従業員規模は300人以下，「卸売業」の場合は資本金1億円以下で従業員規模100人以下，「サービス業」の場合は資本金5,000万円以下で従業員100人以下，そして「小売業」の場合は資本金5,000万円以下，従業員規模は50人以下と定義されています。
2）勝山シークヮーサーの会社の理念で掲げられている「うまんちゅ」とは，沖縄の方言で「みんなの」という意味です。「うまんちゅに役立つ価値を生む！（利益を創出する会社）」，「うまんちゅの喝采を受ける！（世間の人々に愛され，喜ばれる会社）」とは勝山シークヮーサーの生産，商品開発を通して地域のみんなにとっての会社でありたいという想いがこめられています。

参考文献等

陶山圭介・梅本春夫（2002）『日本型ブランド優位戦略—「神話」から「アイデンティ
　　ティ」へ—』ダイヤモンド社

陶山計介・宮崎昭・藤本寿良編（2003）『マーケティング・ネットワーク論—ビジネス
　　モデルから社会モデルへ』有斐閣

独立行政法人中小企業基盤整備機構経営支援情報センター（2012）「地域資源を活かし
　　た食料品の販路拡大に関する調査研究～広域的事業展開で域外への販路拡大を図る
　　～」『中小機構調査研究報告書』第5巻第4号（通号23号）

広瀬直人（2012）「シークヮーサーの特性と新規用途開発」『日本食品科学工学会誌』
　　第59巻第7号（沖縄県農業研究センター）

並里哲子（2012）「アセローラで地域特性色豊かな農業づくり」『南方資源利用技術研
　　究会　研究発表会・特別講演会』

沖縄県ホームページ　https://www.pref.okinawa.jp（閲覧日：2019年5月31日）

勝山シークヮーサー　http://www.mayaga.com./html/page1.htm（閲覧日：2019年5
　　月31日）

アセローラフレッシュ　http://acerola-fresh.jp（閲覧日：2019年5月31日）

3章　オリオンビールの軌跡とグローバル展開

仲尾次 洋子

1. はじめに

　オリオンビール株式会社（以下，オリオンビールと略す）は，ビールづくりに理想的な環境としてやんばる・名護に工場を構え，2017 年に 60 周年を迎えた老舗企業です。「報恩感謝・共存共栄・地域社会への貢献・食文化への寄与」という経営理念のもと沖縄を代表する企業として，また県外においても，キリンビールやアサヒビール等の大手がひしめく業界の中で 5 位のシェアを誇り，業績や知名度を堅実に上げています。

　本章では，オリオンビール 60 年の軌跡と 20 年にわたる海外展開について，同社の有価証券報告書[1]，60 周年記念誌，新聞記事，台湾での取材を用いてその実相に迫ります。

2. 会社沿革と事業内容

（1）会社沿革

　オリオンビールは，1956 年から創業者具志堅宗精氏が沖縄発のビール製造業の設立に取り組み，1957 年 5 月 18 日に「沖縄ビール株式会社」として設立されました。1975 年には株式会社ホテル西武オリオンを開業することによってホテル事業へ，2002 年にはオリオン嵐山ゴルフ倶楽部株式会社を設立することによってゴルフ事業へと展開しています。

（2）事業内容

オリオンビールは，同社の傘下に子会社8社，関連会社3社により構成され，酒類・清涼飲料の製造・仕入販売，ホテル経営，ゴルフ場経営の3事業を主たる事業として展開しています。これらの売上高構成比率（2018年度）は図1に示すとおりです。同社の売上の約80％を占めるのは，創業以来ニーズの多様化に対応して商品開発を重ねてきた酒類・飲料事業です。また同事業の中には，子会社により運営される売電事業および不動産開発事業等も含まれています。

表1からも分かるように，オリオンビールは主力のビール販売のシナジー効果が得られるホテル事業，ゴルフ場事業へと事業展開を果たし，さらに，

図1　売上高構成比率（2018年度）

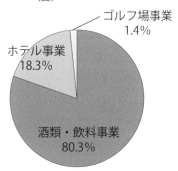

（出所）オリオンビールの有価証券報告書にもとづき作成

表1　主たる会社沿革

1957年5月	沖縄ビール株式会社として設立
1958年11月	名護工場完成
1959年6月	オリオンビール株式会社へ商号変更
1971年11月	オリオンビール販売株式会社を買収
1975年6月	株式会社ホテル西武オリオン開業
2001年7月	株式会社ホテル西武オリオンを完全子会社化
2002年12月	オリオン嵐山ゴルフ倶楽部株式会社を設立
2003年5月	アサヒビール株式会社と業務提携
2013年5月	オリオンサンサン合同会社（売電事業）設立
2014年7月	ホテルオリオンモトブリゾート＆スパ，ホテル開業
2017年4月	オリオン沖映合同会社（不動産賃貸事業）設立
2017年7月	オリオン開発合同会社（不動産開発事業）設立

（出所）オリオンビールの有価証券報告書にもとづき作成

売電事業，不動産関連事業へと新たな分野に挑戦しています。シナジー効果とは，企業同士または企業内の事業同士で協業することによって得られる相乗効果のことです。例えば，主力のビールをホテルやゴルフ場のレストランで提供することができます。

　上述したオリオンビールの事業展開を，アンゾフの成長マトリックスに当てはめたのが表２です。製品が既存製品か新製品か，対象とする市場が既存市場か新市場かの２軸でマトリックスを描き，企業成長の方向性を類型しています。既存製品・既存市場のセル「市場浸透」は，販売量・シェアの増加を目的とした取り組みであり，缶類においてホテル宿泊券やライブチケット，県産品等が当たる定期的なキャンペーンが実施されています。新製品・既存市場のセル「製品開発」は，既存の市場（顧客）に新しい製品を提供する戦略であり，主力商品「オリオンドラフト」に加え，発泡酒，新ジャンル，ノンアルコールビールテイスト飲料，令和元年である 2019 年 5 月には，ビールが苦手な方にも対応した県産素材シークヮーサを使用した酎ハイを発売しています。既存製品・新市場のセル「市場開発」は，既存の製品を新市場に提供する戦略であり，国内ではアサヒＨＤと提携し，県外での新たなチャネルを構築するとともに，海外では後述のように，1978 年の台湾を皮切りに 17 か国に輸出しています。新製品・新市場のセル「多角化」は，

表２　オリオンビールの成長マトリクス

	既存製品	新製品
既存市場	**市場浸透** 定期的なキャンペーンによる販売促進	**製品開発** 発泡酒・新ジャンル・ノンアルコールビール・酎ハイ
新 市 場	**市場開発** ・アサヒＨＤとの業務提携による県外での展開 ・海外（17か国）での展開	**多角化** ・関連（ホテル・ゴルフ場） ・非関連（売電・不動産）

（出所）Ansoff（1965），広田訳，137 頁を参考に作成

新しい製品を新市場に提供する戦略であり，上述のように，主力のビール販売のシナジー効果が得られるホテル事業，ゴルフ場事業へと事業展開を果たし，さらに，売電事業，不動産関連事業へと新たな分野に挑戦しています。

（3）経営計画

　オリオンビールでは，第48期である2004年から3年ごとに外部環境を踏まえた現状把握，課題抽出にもとづく中期経営計画を策定し，進化し続けることに挑戦しています。

①中期経営計画「Challenge2016」

　第4次中期経営計画「Challenge2016」では，次の2つの基本方針のもと，3つの基本戦略が策定されています。

　　「基本方針」
　　・ビール事業を中心に，リゾートホテル事業，新規事業を展開し，企業価値の最大化を図る。
　　・地元沖縄におけるプレゼンス（存在感，経済的影響力：筆者）を向上させることと，積極的に海外展開を進めることによって，企業の持続的成長を実現させ，安定した収益構造と強固な財務基盤を構築する。
　　「基本戦略」
　　・沖縄県内の売上拡大
　　・海外，県外進出
　　・企業価値の向上

　基本方針である，事業展開については，「ホテル　オリオン　モトブ　リゾート＆スパ」開業，2013年より合同会社によって運営される売電事業など多角化が図られています。また，4節のグローバル展開で示すように，世界17か国で営業展開し海外売上高を伸ばしています。したがって，収益構造，

財務基盤については，3節の財務分析で示しているように，計画の最終年度
となる 2016 年には収益力を改善させるとともに，磐石な財務基盤を維持し
ています。

②第5次中期経営計画「Action2019」

　中期経営計画「Action2019」では，第4次中期計画「Challenge2016」
を踏まえ，現状の把握や課題抽出に基づき，引き続き「Challenge2016」の
2つの基本方針のもと，取り組むべき重点課題として，「人材育成・組織再
編」「名護工場の設備更新」「県内売上高の拡大」「酒税法改正への対応」が
示されています。このような重点課題のもとスタートした具体的な取り組み
として，「ＪＲ九州ホテル ブラッサム那覇」の開業，創立 60 周年記念商品
「ドラフトエクストラ」の発売，「公益社団法人オリオンビール奨学財団」に
おける奨学金事業の開始が挙げられます。

3．財務諸表分析

　財務諸表分析では，収益性，効率性，安全性および成長性の観点から，オ
リオンビールの財務諸表を分析します。なお，本節で取り上げる 14 比率の
うち収益性，効率性，安全性に関する 11 比率については，算式と概説を章
末に掲載しています。

（1）収益性分析

　収益性分析とは，企業の利益を獲得する力を見るものであり，売上高に対
する利益の割合を見る売上高営業利益率や売上高当期純利益率等と，投下し
た資本に対する利益の割合を見る総資本当期純利益率や自己資本純利益率等
に大別されます。図2はオリオンビールの売上高営業利益率，売上高当期純
利益率，総資本当期純利益率（ＲＯＡ：Return on Assets）および自己資本
当期純利益率（ＲＯＥ：Return on Equity）の推移を示したものです。2015
年はホテル開業による費用の増加によりすべての比率が低下しているもの

の，５年間一定の利益率を維持しています。

　さらに，表３では，収益性の４つの指標を大手４社[2]と比較しています。売上高営業利益率，売上高当期純利益率は４社にも劣らない比率になっています。ＲＯＡが比較的低くなっている理由は，自己資本比率が高いためであり，いわゆる無借金経営の特徴を表しています。

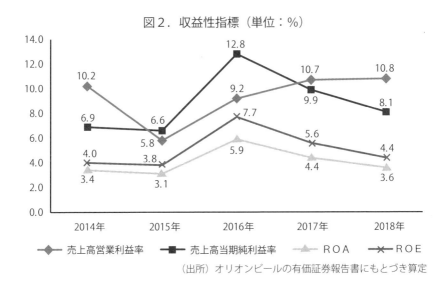

図２．収益性指標（単位：％）

（出所）オリオンビールの有価証券報告書にもとづき算定

表３．収益性指標の比較（2018 年度）

	売上高営業利益率	売上当期純利益率	ＲＯＡ	ＲＯＥ
オリオンビール	10.8	8.1	3.6	4.4
アサヒグループＨＤ	10.0	7.1	8.8	13.1
キリンＨＤ	10.3	10.1	8.3	16.1
サントリーＨＤ	11.1	8.1	4.0	11.3
サッポロＨＤ	2.1	1.5	1.2	4.5

（出所）各社の有価証券報告書にもとづき算定

（2）効率性分析

　効率性分析とは，投下資本を効率よく活用して経営しているかを見るものであり，表4はオリオンビールの総資本回転率，有形固定資産回転率，棚_{たなおろし}卸資産回転率および売上債権回転率の推移を示したものです。総資本回転率および有形固定資産回転率が減少傾向にあるのに対して，棚卸資産回転率および売上債権回転率一定の数値を維持していることがわかります。

　さらに，表5では，効率性の4つの指標を大手4社と比較しています。総資本回転率は有形固定資産回転率は大手には劣るものの，棚卸資産回転率，売上債権回転率は4社の約2倍の数値を示しており，製造から販売までの期間が短く，売上債権を速やかに回収する効率的な経営が行われていると判断できます。

表4．効率性指標（単位：回）

比率名	2013年	2014年	2015年	2016年	2017年	2018年
総資本回転率	0.5	0.5	0.5	0.5	0.4	0.4
有形固定資産回転率	2.0	1.6	1.3	1.2	1.3	1.3
棚卸資産回転率	39.0	26.9	24.5	26.4	27.6	28.0
売上債権回転率	13.2	13.4	14.0	13.5	12.8	12.8

（出所）オリオンビールの有価証券報告書にもとづき算定

表5．効率性指標の比較（2018年度）

	総資本回転率	有形固定資産回転率	棚卸資産回転率	売上債権回転率
オリオンビール	0.4	1.3	28.0	12.8
アサヒグループHD	0.7	3.0	13.4	5.1
キリンHD	0.8	3.6	9.7	5.0
サントリーHD	0.5	3.3	5.5	6.0
サッポロHD	0.8	3.4	13.9	5.4

（出所）各社の有価証券報告書にもとづき算定

（3）安全性分析

　安全性分析とは，短期の支払能力や財務構造の安定性を見るもので，表6はオリオンビールの流動比率，自己資本比率および固定比率推移を示したものです。流動比率は一般的に望ましい水準とされる200％を，自己資本比率は50％を大幅に超え，100％以下が望ましいとされる固定比率をクリアしていることから，安全性は非常に高いと判断できます。

（4）成長性分析

　成長性分析とは，2013年度を基準として，売上高，純利益，純資産の成長性を示したものです（表7参照）。各成長率ともに，2013年度の金額に対する比率を示しています。収益性と同様に，2014年度から2015年度においてはホテルの開業による費用の増加により純利益は一時的に低下したものの，すべての比率において成長していることがわかります。

表6．安全性指標（単位：％）

比率名	2013年	2014年	2015年	2016年	2017年	2018年
流動比率	626.2	461.3	328.4	364.1	501.8	514.0
自己資本比率	87.7	83.7	76.5	77.1	80.6	80.1
固定比率	60.9	74.7	94.0	83.5	82.3	79.5

（出所）オリオンビールの有価証券報告書にもとづき算定

表7．成長性指標（2013年の値を1とする）

比率名	2013年	2014年	2015年	2016年	2017年	2018年
売上高成長率	1	1.04	1.11	1.21	1.23	1.19
純利益成長率	1	0.89	0.91	1.94	1.51	1.40
純資産成長率	1	1.04	1.10	1.18	1.26	1.26

（出所）オリオンビールの有価証券報告書にもとづき算定

　以上，収益性，効率性，安全性および成長性の観点から財務諸表分析を行ってきましたが，少子高齢化，若者のビール離れ[3] が進む厳しい業界の中においても，オリオンビールは業界大手にも劣らない収益力や効率性を維持していることが分かりました。今後は高い流動性（手元資金）を成長が見込める市場や事業へ活かすことにより効率性を改善し，さらなる成長を図っていくことが期待されます。

4．グローバル展開

（1）グローバル展開の状況
　オリオンビールの本格的な海外展開は 1997 年の台湾に始まっています。図3は 2009 年からの海外でのビール出荷量の推移を示しています。右肩上がりに出荷量を伸ばし，2016 年には 2009 年の 6 倍強の数字を出しています。
　現在では，世界 17 か国でオリオンビールを飲むことができます。表8は主な進出国における事業展開の状況です。

（2）台湾における事業展開
台湾は初めて本格的な海外進出を果たした地であり，現在海外売上の 51.8％を占める最大の輸出国です。当初は缶ビールのみの販売でしたが，地元産ビールより価格が高く知名度もないことから売れない状況が続いていました。そのような状況を打破したのが，現在，台湾総代理店「パレット社（培立特有限公司）」社長を務める諸喜田伸氏との出会いです。大手メーカーが扱っていなかった生ビールに着目し，樽生の輸出を開始したのです。パレット社はジョッキ片手に飲み屋街を一軒ずつ売り込むローラー作戦を展開し，現在では約 400 店舗の飲食店がオリオンビールを扱っています。また，小売店においても，ファミリーマートでの缶ビールの定番採用，セブンイレブンでの季節限定販売により現在約 400 店舗で取り扱いされています。さら

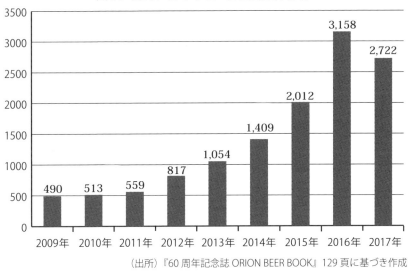

図3．海外におけるビール出荷量の推移

（出所）『60周年記念誌 ORION BEER BOOK』129頁に基づき作成

表8．各国における事業展開

国　名	進出年	販売データ	特　徴
台　湾	1997	コンビニ：約8000店舗 飲食店：約400店舗	最初の進出国であり，県出身の代理店の尽力のもと海外進出の海外売上高の半数を占める。樽生ビール販売からコンビニ・スーパーでの缶ビールの販売まで展開している。
アメリカ	2000	飲食店：約900店舗 量販店：約100店舗	日本の大手ビール会社が海外生産へシフトしたため，純日本産ビールを求める声に応えて進出。全50州のうち30州で販売。ＮＹでは樽生も販売。
香　港	2002	飲食店：約70店舗 量販店：約450店舗	地元スーパーなど量販店で大規模に展開。認知度を高めるためにテレビＣＭを実施。
シンガポール	2004	飲食店：約50店舗 量販店：約45店舗	地元に強い現地代理店により，ローカルのビール好きが訪れるパブ，ディスコなどでも展開。
オーストラリア	2011	飲食店：約160店舗 量販店：約20店舗	シドニー，メルボルンなどの大都市の日本料理店を中心に展開。
ニュージーランド	2012	飲食店：約133店舗 量販店：約10店舗	日本料理店を中心に，地元の人が営むパブにも拡大。
ベトナム	2016	飲食店：約15店舗 量販店：約15店舗	ファミリーマートやイオンモールの進出に伴い販売開始。富裕層を中心に好評。
韓　国	2017	飲食店：約70店舗	日本料理店で樽生ビールを展開。

（出所）「びあぶれいく」第94号，4-7頁に基づき作成

に，中心地である台北で開催されるビアフェストは2017年で4回目を数えるほど好評を得ています。

　このようなに台湾での好調な業績の伸びを背景に，2016年2月には初の海外事務所となる台湾駐在員事務所（日商奥利恩啤酒股份有限公司）が台北市内に開設されました。同事務所はパレット社との協力体制を強化し，飲食店への販路を拡大するとともに，量販店への缶ビールの販売強化を中心に販促活動を行っています。中村将要台湾事務所所長（2017年2月当時）によると，台湾で成功するポイントは，樽生ビールの品質管理を徹底することであり，常においしいビールを飲んでもらうため，日々お店を回って樽生を注ぐサーバーをきれいに洗浄しているとのことです（琉球新報2017年8月20日）。台湾での経営課題は，シェア拡大，輸入手続きの簡素化，現地での営業展開であり（仲尾次・宗田［2017］141頁），今後，駐在員事務所から現地で営業活動が認められている営業所への昇格が期待されます。

写真1．オリオンビアフェスト in 台北のステージ

（出所）2017年9月30日筆者撮影

5．むすび

　本章では，やんばる・沖縄を代表する企業として，オリオンビール60年の軌跡と20年にわたる海外展開について取り上げました。オリオンビールは少子高齢化，若者のビール離れが進む厳しい業界の中においても，消費者ニーズへの対応や多角化，グローバル化を進めることによって業界大手にも劣らない収益力や効率性を維持していることが分かりました。

　今後は，酒税法改正による発泡酒・新ジャンルとの価格差縮小[4]を背景に，よりビールに研究開発と広告宣伝等の資源集中による国内外での売上増加，事業の多角化を進めさらなる成長が期待されます。

　また，2019年3月には，野村キャピタル・パートナーズとカーライルが設立したオーシャン・ホールディングスの子会社となりました。専務執行役員ＣＦＯ（最高マーケティング責任者）に就任した吹田龍平太氏は，「県内シェアの拡大に注力するより，県外シェアの1％を獲得した方が会社の売上は2倍になる。輸送費などのコストはかかるが県外の市場は大きい」と述べ，県外での消費拡大に注力する方向性を示しています。同時に，「トップブランドのビールに対抗するのではなく，おきなわの良さをアピールし独自性でニッチを狙う戦略」も示しています（沖縄タイムス2019年7月5日）。さらに，社長兼最高経営責任者（ＣＥＯ）に就任した早瀬京鋳氏は，「沖縄の象徴であるオリオンが第二の創業を迎える。より県民に愛されるブランドにしたい」と県内市場でのシェア回復・拡大にむけ抱負を述べていました（沖縄タイムス2019年7月23日）。

　県内・県外そして海外市場のいずれも，今後は活況を呈する入域観光客数を背景としたオリオンビールのブランド力や知名度を生かし，プレミアムな製品を開発することがカギとなるでしょう。

参考資料　財務比率一覧

収益性	売上高営業利益率	営業利益/売上高×100（％）	売上高に占める主たる営業活動により得られた利益の割合。本業の収益力を示す。
	売上高当期純利益率	当期純利益/売上高×100（％）	売上高に占める当期の最終利益の割合。
	総資本利益率	当期純利益/総資本×100（％）	事業活動に投下したすべての資本（資産）に対してどれだけの利益を獲得したか。
	自己資本利益率	当期純利益/自己資本×100（％）	事業活動に投下した自己資本（株主による出資）に対してどれだけの利益を獲得したか。
効率性	総資本回転率	売上高/総資本（回）	事業に投資した総資産がどれだけ有効に活用されたか。
	有形固定資産回転率	売上高/有形固定資産（回）	有形固定資産がどれだけの売上高に結びついているか。
	棚卸資産回転率	売上高/棚卸資産（回）	棚卸資産（製品）がどれだけ効率的に販売されているか。
	売上債権回転率	売上高/売上債権（回）	売上債権の回収がどれだけ効率的におこなわれているか。
安全性	流動比率	流動資産/流動負債×100（％）	１年以内に支払期限が到来する流動負債に対して返済に充てられる流動資産の割合。
	自己資本比率	自己資本/総資本×100（％）	総資本のうち返済義務のない自己資本の割合。
	固定比率	固定資産/自己資本×100（％）	固定資産が返済義務のない自己資本でどれだけまかなわれているか。

注

1）同社の第57期から61期までの有価証券報告書については，ウェブサイト上のEDINET（電子情報開示システム）で閲覧することができます。

2）大手4社は持ち株会社（HD）体制のもと酒類事業の他，食品や飲料等の事業を含みますが，データは入手可能なグループとしての連結財務諸表を用いています。

3）日本酒造組合中央会の調査によれば，直近1カ月間に飲んだお酒の酒類について，ビールを飲んだ割合が他の世代に対して20代が最も低いのに対して，カクテルやハイボールが最も高いことが示されています。

4）平成29年度の税制改正によって，ビール酒類間の税負担の公平性を回復する等の観点から，ビール系飲料（ビール，発泡酒，新ジャンル）については，その税率を段階的に統一することとされました（酒法23①一）。これについては財務省（2017）を参照ください。

参考文献等

アサヒグループホールディングス株式会社「第95期有価証券報告書」 https://www.

asahigroup-holdings.com/ir/pdf/msecu/2018/securities2018_full.pdf（閲覧日：2019 年 6 月 27 日）

沖縄タイムス「オリオンビール全国販売強化へ」2019 年 7 月 5 日

沖縄タイムス「オリオン早瀬社長就任」2019 年 7 月 23 日

沖縄タイムス「新生オリオン戦略注目」2019 年 7 月 23 日

オリオンビール株式会社（2018）『60 周年記念誌 ORION BEER BOOK』

オリオンビール株式会社（2018）「第 61 期有価証券報告書」https://resource.ufocatch.com/pdf/edinet/ED2018062700402（閲覧日：2019 年 6 月 27 日）

オリオンビール株式会社（2017）『びあぶれいく』第 94 号

キリンホールディングス株式会社「第 180 期有価証券報告書」https://pdf.irpocket.com/C2503/szUc/bLjj/Trd7.pdf（閲覧日：2019 年 6 月 27 日）

財務省（2017）「酒税法等の改正」 https://www.mof.go.jp/tax_policy/tax_reform/outline/fy2017/explanation/pdf/p0919-0950.pdf（閲覧日：2019 年 11 月 4 日）

サッポロホールディングス株式会社「第 95 期有価証券報告書」 https://www.sapporoholdings.jp/ir/library/securities_report/pdf/H30_12_yufo.pdf（閲覧日：2019 年 6 月 27 日）

サントリーホールディングス株式会社「第 10 期有価証券報告書」 https://www.suntory.co.jp/company/financial/pdf/securities_201812.pdf（閲覧日：2019 年 6 月 27 日）

仲尾次洋子・宗田健一（2018）「台湾進出企業の会計課題に関する調査報告」『名桜大学総合研究所紀要』第 27 号，137-148 頁

仲尾次洋子・宗田健一（2019）「海外進出子会社の会計行動から見える異文化会計」 柴健次編『異文化対応の会計課題―グローバルビジネスにおけ
る日本企業の特徴』165-200 頁

日本酒造組合中央会（2017）「日本人の飲酒動向調査」 https://www.sakagura-press.com/sake/japan-inshu2017/（閲覧日：2019 年 11 月 4 日）

林優子・仲尾次洋子（2009）「台湾における沖縄県産品の現状」『名桜大学総合研究所紀要』第 15 号，61-65 頁

琉球新報「アジア開拓へ沖台連携」2017 年 8 月 20 日

琉球新報「オリオン県外拡大注力」2019 年 7 月 5 日

Anssof,H.I.（1965）Corporate Strategy, McGraw-Hill.（広田寿亮訳（1969）『企業戦略論』産業能率大学出版部

4章　やんばるの地域活性化
—「道の駅」許田の事例を中心に—

大城　美樹雄

1．はじめに

　少子高齢化に伴い過疎化が進展し，特に地域活性化が大きな課題となっています。しかし，一口に地域活性化といっても，はたして，どの数値が増えることが地域活性化を達成したことになるのかについては，様々な意見があり，その判断はむつかしいところです。例えば，その地域で暮らす住民の数が増えることが地域活性化なのか，または，住民の所得が増えることなのか，さらには雇用の場としての事業所の数が増えることなのか，みるべき数値が多く存在します。そもそも数値以前に地域活性化そのものが困難な場合も多く存在します。そのような状況にありながらも，名護市にある「道の駅」許田は黒字経営を続けており地域活性化に貢献しています。本施設は，北部12市町村の発展を目標に掲げ，平成6年（1994年）4月26日に沖縄県内第1号の「道の駅」として国土交通省より認定されました。以来，特に第一次産業の農業分野への貢献が顕著であり，ここを訪れる年間約200万人に「やんばるの農産物」を提供し続けています。本章では，その「道の駅」許田について詳しく分析したいと思います。

2.「道の駅」とは

(1)「道の駅」の定義

　「道の駅」許田を分析する前に，まずは，「道の駅」が，どのような施設なのかについて，考察したいと思います。国土交通省のホームページによれば，「道の駅」とは以下のように解説されています。

　　　　道路利用者のための「休憩機能」，道路利用者や地域の方々のための「情報発信機能」，そして「道の駅」をきっかけに町と町とが手を結び活力ある地域づくりを共に行うための「地域の連携機能」，の3つの機能を併せ持つ休憩施設

　以上の記述にあるように，本章においては「道の駅」を，「道路沿いに存在し，①休憩機能，②情報発信機能，③地域連携機能の3つの機能を併せ持ち，地域の振興に寄与する施設」と定義します。

(2)「道の駅」の登録要件

　「道の駅」という名称は，誰でも使用してよいものではなく国土交通省に申請し，審査を経て許可を得た施設が「道の駅」を名乗ることができるという許認可事業です。その許認可申請においては，国土交通省のホームページには下記のような登録要件が挙げられています。これらの要件全てをクリアした施設が許可され，事業展開しています。

　　　①休憩機能
　　　　利用者が無料で24時間利用できる十分な容量を持った駐車場と，清潔なトイレ（障がい者用も設置）
　　　②情報発信機能

道路及び地域に関する情報を提供（道路情報，地域の観光情報，緊急医療情報等）

③地域連携機能

文化教養施設，観光レクリエーション施設などの地域振興施設

④設置者

市町村又は市町村に代わり得る公的な団体

⑤その他配慮事項

施設及び施設間を結ぶ主要経路のバリアフリー化

（出所）国土交通省ＨＰ

以上が国土交通省による「道の駅」の解説です。なお，「道の駅」の施設数は現在も増え続け，国交省 HP のデータによれば，平成 31 年 3 月 19 日現在，全国に存在する「道の駅」の数は，北海道 124，東北 163，関東 175，北陸 80，中部 133，近畿 147，中国 104，四国 87，九州 133，沖縄 8，合計 1,154 駅となっております。

以上，「道の駅」について，一般論的な部分は理解できましたので，次に，具体的事例として「道の駅」許田について考察していくこととします。

3.「道の駅」許田について

「道の駅」許田は，まず，平成 4 年（1992 年）4 月に沖縄開発庁沖縄総合事務局から「道の駅」事業に設定されることとなり，同年 7 月には名護市第三セクター法人[1] として，やんばる物産株式会社を設立しました。設立時の資本金は 1,500 万円でした。それから，平成 5 年（1993 年）4 月に資本金を 6,000 万円に増資し名護市との共同開発協定を締結しました。平成 6 年（1994 年）1 月 12 日に「やんばる物産センター」としてグランドオープンし，同年 4 月 26 日には県内第 1 号となる「道の駅」として認定されました。また，「道の駅」許田は，「地域活性化の拠点となる優れた企画が

あり，今後の重点支援で効果的な取組が期待できるもの」として，「取組を広く周知するとともに，取組の実現に向けて，関係機関が連携し，重点支援」している施設と認められ，平成30年度に全国15箇所のうちのひとつとして「重点『道の駅』」に選定されました。以下で，(1)会社沿革，(2)企業理念について詳しくみていきます。

（1）会社沿革

「道の駅」許田のホームページには，以下のような会社沿革が記されています。

平成4年4月　沖縄開発庁沖縄総合事務局より「道の駅」事業に設定

平成6年4月　「道の駅」許田認定(県内第1号)(4月26日)

平成7年7月　「道の駅」許田 道路情報ターミナルオープン(共用開始)

平成17年8月　全国「道の駅」との連携による全国展開事業2事業計画認定県内初

平成19年9月　沖縄県産業振興公社「2007年度　第1回　事業可能性評価企業」認定

平成24年7月　やんばる物産株式会社 設立20周年

平成26年1月　やんばる物産センターオープン20周年

（出所）「道の駅」許田ＨＰより一部抜粋

（2）企業理念

「道の駅」許田の企業理念は以下のようになっています。

やんばる物産センターは，「やんばるの特産品」を通じてお客様と生産者を「しあわせ」な気持ちにするために「お客様」と「生産者」

と結ぶ"架け橋"となり，やんばるの地域振興に努めます。

　上記の経営理念にあるように，「お客様」と「生産者」を結ぶ懸け橋となるため，施設を訪れる人に情報発信として農産物を提供することを中心に展開しています。施設名は「道の駅」許田ですが，理念ではあえて「やんばる物産センター」という法人名を明記し，懸け橋となること，やんばるに貢献することを忘れないようにしています。また，懸け橋としての立場から，農産物を持参する生産者も「お客様」と称して大事にしています。ですから，「道の駅」許田には，買い物などで施設を訪れる「お客様」と，農産物を納める「お客様」の2種類のお客様が存在します。

4．「道の駅」許田のこれまでの取り組み

　話は少し古くなりますが，平成22年(2010年)9月24日に代表取締役社長（当時）でありました荻堂盛秀氏に，それまでの取り組みについて，「道の駅」許田の会議室にて聞き取り調査を行ないましたので，そのインタビュー調査を基に以下にまとめたいと思います。

（1）設立時のこだわりについて
　荻堂氏によれば，「道の駅」許田を開業する際に，以下のような3点にこだわり，設立したとのことでした。

> ①9人の取締役のうち名護市役所からは1人とし，さらに4人は社内取締役で，5人は社外取締役
> ②できるだけ意思決定は名護市役所の許可を得ないことを条件に開業（自主独立）
> ③変化に即座に対応できる「スピード経営」を実現させること（即断即決）

　特に，開業する際の最大のこだわりは「スピード経営」でした。そのこと
は，「名護市役所からの出向は1人とする」ということに表れ，「できるだ
け名護市に伺いを立てずに，自分たちで責任をもって即断即決が可能となる
意思決定」の構築ということでした。

　また，開業前から運営方法などを具体的に議論することは当時としては，
とても画期的なアイディアでした。一般的にいわれているのは，第三セクタ
ー方式の経営が赤字を抱え失敗する要因として，まず箱物行政といわれる建
物や土地などが先にあり，作った後で運営面をどうするか話し合われること
です。さらには役所の天下り先としての受け皿となり，決裁を通さなければ
ならない人数ばかりが増え，その結果，意思決定までに予想以上に時間がか
かりすぎる，というものがあります（三井物産，P.52）。一方，道の駅「許
田」は，開業時にすでに，その点を克服するために，その両方を一挙に解決
することを要求していたのです。また，その要求を認めた名護市にとっても
英断でした。この要求と決断で，道の駅「許田」は盤石の体制でスタートを
切ることができました。

（2）集客を伸ばすための経営努力

　即断即決にこだわって開業した「道の駅」許田でしたが，もちろん，それ
だけでは黒字経営になるわけではなく，かなりの企業努力が必要となりま
す。

　その主な努力は荻堂氏によれば以下のようにまとめられます。

　　　　①水族館チケットなど各種チケット販売とその宣伝
　　　　②積極的に農産物の個人販売の受け入れ
　　　　③特産品販売に全国の郵便局を窓口として活用
　　　　④インターネットでの販売
　　　　⑤ダイレクトメール（DM）での季節物の農産物の先取り案内

　水族館等のチケットは，沖縄自動車道の許田インター近くという立地条件を生かし，沖縄県中南部からの観光客がレンタカーで許田インターから国道58号線にて北上する際に，「道の駅」許田に立ち寄り入場チケットを購入する行動パターンが多くみられました。また，鉄道が未発達の沖縄では観光客が自らレンタカーを運転することを避け，空港などから個人タクシーを一日契約し，観光案内に活用するケースもあり，その際も水族館の割引チケットを購入するために立ち寄るケースも多く見受けられます。

（3）人の流れ

　「道の駅」許田が成功するためには，施設内での「人の流れ」が非常に重要になります。特に，「道の駅」という施設は，多くの人が利用しやすいように，交通量の多い国道沿いにある事が多いので，人の流れは良い場所に存在しています。「道の駅」許田も沖縄県の大動脈に例えられるほど交通量の多い国道58号線沿いに存在しています。しかし，それだけでは「人の通過量」は多くても，施設の利用者数（レジ通過客数）は決して増えません。そこで，まずは以下の3つの点を考慮し，対策を練ることにしたとのことでした。

> ①トイレ休憩などで訪れた客を如何に店内に引き込むか（最大の課題）
> ②施設外の両サイドのパーラーがメインになるよう心がける
> ③トイレや駐車場でも聞こえる施設内放送で繰り返し宣伝する販売促進

　「道の駅」許田は，第一段階として，国道を通過している人に，まずは施設を訪れてもらうことを考えました。そこで，高速道路の許田インターチェンジと隣接する位置に存在し，高速道路を利用する客を呼び込む工夫をした

とのことでした。たとえば，南下するために高速道路を利用する直前の客にはトイレ休憩やお土産などをアピールし，また北上し高速道路を利用してきた客には「美ら海水族館」の割引チケットを販売することにより施設に引き込むことを考えたそうです。そうして訪問客を増やすと次の段階として，そこから売り場などの施設内に案内するように，トイレや駐車場など施設内放送を活用し，今，何が「売り」なのか，どういった商品が得なのか，などを繰り返し，繰り返し，放送アナウンスにて利用者に情報を伝えるようにしているとのことでした。その効果が奏功し施設内への「人の流れ」が増えたとこのことでした。

（4）産学官連携[2]（小・中・高）

「道の駅」許田は，施設利用者のみをターゲットとすると，施設の設置目的でもある「地域活性化」には繋がらないので，地元貢献も考えなければなりません。その一つの取り組みが，若い世代の育成です。

　荻堂氏によれば，若い世代の人材育成事業として，以下のように展開したとのことでした。

> ①北部農林高等学校との連携（「ちゃーぐ」の復活）
> ②他の高校も追随しインターンシップの申し出が増え，さらに小学校，中学校も積極的に参加するようになった
> ③実際に売り場での体験学習（3日間程度）を通し施設や地域を若い人に理解してもらう
> ④ニート対策（職業意識の向上）としても積極的に受け入れている
> ⑤ふるさとへの関心が増えることによる郷土への誇りを育成する（郷土愛の育成）

「道の駅」許田は，もともと，第3セクター方式の産官連携施設としての「道の駅」なので，その産官連携施設に小中高などの「学」を加えて，産官

学連携を通して子供たちに地元の産物や商品を知ってもらい，親しみを持ってもらいたい，ということから北部農林高等学校の生徒との連携で，琉球在来種「アグー」を復活させるプロジェクトをお手伝いしたとのことでした。苦労のかいがあり，琉球在来種「アグー」とアメリカ系品種「デュロック」を交配させた「チャーグー」の誕生に成功しました。その成功をきっかけに他の高校が追随し，次々と「インターンシップ」の申し込みが殺到しました。そして，その事業を通して，子供たちが地元にこんなにも多くの特産品や商品があり，それを求めてこれほど多くの人が訪れている，ということを目の当たりにし，そこから「地元愛」や「地域に対する誇り」を持って学校の戻っていく児童・生徒を多くみるようになり，次世代の人材育成も着々と進んでいるようでした。

（5）地産地消の原則

　荻堂氏には，「道の駅」許田を開業するにあたり，こだわった点がもう一つありました。それは，「やんばるは，一次産品の産地というだけで終わらせてはいけない」ということでした。今までのパターンは，安い原材料となる第一次産業での産物をやんばるで生産し，それを中南部の業者が買い上げて，第二次産業としてお土産品などの加工品に付加価値を付けた高い商品を，やんばるのお店は逆輸入のような形で仕入れていました。つまり，第1次産業はやんばるが，第2次産業は中南部が，という図式でした。荻堂氏は，このような状況を是非とも変えて，やんばるの産物は，やんばるで加工し，やんばるで売る，という地産地消の6次産業化を実現することも開業時の大きな目標でした。そこで，「道の駅」許田では，開業以来，下記のようなこだわりが「鉄則」とされています。なお，鉄則ではあるのですが，①の泡盛部門は観光客からの強い要望があり，本意ではありませんが，1，2種類程度は北部圏外の泡盛を仕方なく置いているそうです。

　　開業するときの原理原則（北部12市町村に貢献する）

①泡盛部門は北部の酒を置く（北部圏外の商品は1，2種類程度）

②特に農産物部門は地元優先で仕入れる

③北部の産物は北部で消費（地産地消）

④「やんばるは中南部の下請けではない」という強い誇り

（6）独立採算制

　荻堂氏が道の駅「許田」の組織作りで，こだわったのが「独立採算制」です。組織内の部署を部門として分けて，その部門内で独立採算制としたのです。つまり，たとえば，やんばる物産部門の黒字で，その他の部門の赤字を補填する，というようなことは行わずに，部門の問題はその部門内で解決しなければならない，としました。部門の分け方は，下記のようにしました。

①やんばる物産部門（店内メイン）

②やんばる圏外産お土産部門

③レストラン部門

④パーラー部門（店外メイン）

（7）売上の推移

　売り上げについては，各部門での独立採算制としたのですが，当然，「道の駅」許田としての全体の数字を分析しなければなりません。たとえば，過去に次のようなことが指摘できました。

①高速チケット廃止の影響（予想に反し客は増えた）

②集客と売り上げの相関関係

③農産物部門が伸びている

④その他の部門も好調さを維持

　①の高速チケットというのは，最近の若い人は知らないことかもしれませ

んが，以前，沖縄自動車道路を利用する際に，「高速道路割引チケット」というのがありました。その割引チケットを「道の駅」許田で販売していました。やんばるから那覇方面に向かうために高速道路を利用する人は，まずは許田インターチェンジに入る前に，その直前に位置する「道の駅」許田に立ち寄りチケットを購入し，立ち寄ったついでにいろいろと他にも商品を購入するので売り上げを伸ばしていた，と「道の駅」許田は売上額を分析していたのです。そのため，割引チケットが廃止になるということは，チケット購入目的で「道の駅」許田を利用する人は激減し，売上額も減り施設は存亡の危機にさらされるだろうと自己分析し，その対策に追われていました。しかし，いざ割引チケットが廃止になっても，客は減るどころか，むしろ増える傾向にありました。その経験から，「道の駅」許田では，印象や思い込みではなく，数字をしっかり分析し，数字の意味を正確に捉えるようになったといいます。

　次に，図1の平成30年度（2018年度）レジ通過客数のグラフをみてみましょう。8月と1月は，それぞれ夏休みと正月の影響で数字が伸びていると思われます。一方，課題はゴールデンウィークなどで本来は数字が伸び

図1．平成30年度レジ通過客

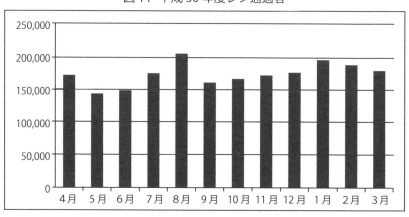

（出所）「道の駅」許田より提供されたデータを基に筆者作成

るはずの5月が最も数字が少ないということです。ここでも，ゴールデンウィークだから数字が伸びるだろうという思い込みが覆された形となりました。現時点での原因分析では沖縄においては5月というのは梅雨の季節で悪天候の影響で中南部方面からの北部へ出かける機会が減り，絶対数が減っているだろうというものでした。この点については，さらに原因特定を進める必要があります。

　次に，図2の直近6年間のレジ通過客数の推移をみてみましょう。平成26年度（2014年度）から平成27年度（2015年度）は微増ではあるものの全体的には増加傾向にあります。ただし，平成30年度（2018年度）は集計時期が他の年度よりも4日少ない集計となっています。平成29年度（2017年度）が急激に伸びていますが，これもなぜなのか原因を特定する分析を進めなければなりません。

　図3の平成30年度（2018年度）の部門別売上額の推移をみてみましょう。実は開業以来，荻堂氏が最もこだわって指摘していた第一産業と第二次産業の差が明確に出ています。やはり，どうしても一次産品としての原材料に付加価値を付けた加工品の方が売上額は大きくなります。図4の作

図2．直近6年間のレジ通過客数

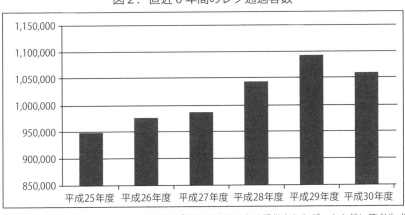

（出所）「道の駅」許田より提供されたデータを基に筆者作成
※平成30年度は2019年3月27日現在

成に使用しました具体的な数字でみると，特産課の売上額は，380,416,022
円であり，一方，農産課の売上額は，256,813,652円で，その差額は
123,602,370円となっています。単純にみれば，この金額が付加価値とい
うことになります。ただし，このことは「道の駅」許田だけにみられること
ではなく，国の産業構造からみても，第一産業と第二次産業というものは，
このような第一次産業よりも第二次産業の方が額が多くなる関係になりま
す。原材料としての第一産業と，それを加工し付加価値を高めた第二次産業
の製造業との関係は自然にそのような関係になるのです。だからこそ，先述
したように荻堂氏が最もこだわり，「原材料はやんばるで，加工品は中南部
で」という構造からの脱却を目指しました。やんばるの材料をやんばるで加
工し，やんばるを訪れた人に提供する。「道の駅」許田が，やんばる振興を
目指して，「地産地消」「第6次産業化」を掲げるのもそのためです。

5．まとめ

これまで，「道の駅」許田を考察してきましたが，それらを一言にまとめ

図3．平成30年度部門別売上額

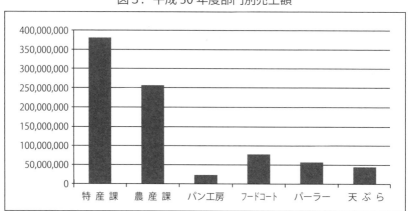

（出所）「道の駅」許田より提供されたデータを基に筆者作成

ると，キーワードは「スピード経営」とういうことになります。これは，開業前から荻堂氏が最もこだわっていた点であり，開業後も急激に変化する外部環境に対しての意思決定のスピードを落とさぬよう心掛けていました。他にも，「やんばる」への強い愛情を感じることができましたし，そのことを若い世代へと受け継ぐよう努力もしていました。また，克服すべき問題点としては，「道の駅」許田は開業以来，順調に売り上げを伸ばしてきましたが，必ずしも順風満帆というわけでもなく，いろいろと課題もありました。聞き取り調査で明らかとなったのは，「道の駅」に国交省から必須とされている３つの機能のうち「情報発信機能」としての「道路情報ターミナル」が大きな課題となっている点でした。３つの機能とは，①休憩機能，②情報発信機能，③地域連携機能であることはすでに説明済みですが，「道の駅」許田は①休憩機能と③地域連携機能に関しては取り組みも奏功し，それぞれの機能を果たしてきました。ところが，②情報発信機能に関しては，その機能を担う「道路情報ターミナル」の利用者が少なく課題となっていました。それは次のような課題内容となっています。

図４．直近６年間の売上額合計

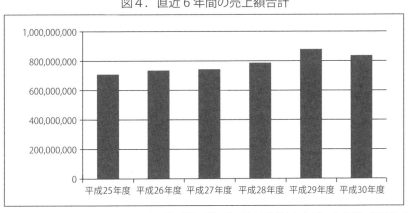

（出所）「道の駅」許田より提供されたデータを基に筆者作成
※ただし，平成 30 年度は 2019 年 3 月 27 日現在となっている

道路情報ターミナルとの連携問題

①利用客数が年間 11 万人弱で横ばいが続いている

②横ばいは，てこ入れのチャンス（ピンチはチャンス）

③「道の駅」への集客要因に育てる

④この施設に誘客力を持たせる工夫

⑤「道の駅」との間を分断する道路（車道）の存在

⑥向かいにある食堂と連携も課題

⑦ Win・Win・Win 関係の構築（道の駅・情報ターミナル・食堂）

以上のような課題点を克服すべく更なる努力が必要です。

最後になりましたが，「道の駅」許田の更なる発展と，やんばるの振興を進めるために，以下のような提案を行ないたいと思います。

提案１：日没時の水平線に沈む夕日も観光資源（cf：愛知県伊良湖岬恋路が浜）

提案２：「恋人たちの許田の駅」「夕日のお供に許田の駅」（キャッチコピーを作る）

提案１については，沖縄の人にとって夕日が水平線に沈むことは，それほど珍しいことではないため，過小評価している傾向があります。ところが，県外から訪れる観光客にとっては，水平線に沈む夕日は価値があるのです。そこで，例えば愛知県伊良湖岬にある「恋路が浜」という海岸では水平線に沈む夕日を眺めながら恋人に愛を告白し成就すると，その愛は永遠のものとなる，というジンクスがあります。それと同様に「道の駅」許田でも，「恋人たちの道の駅」というようなキャッチコピーを作り，売り出してはいかがでしょうか。

さらに，提案２についてですが，現在，名護市内で食事をしながら名護湾を見渡せる施設が，ありそうで，実はほぼ皆無です。このように，ありそう

で無い施設を作り，磨き上げることにより観光資源としての名護の価値を高めることが大事です。

　そこで，「道の駅」許田は，名護市内で唯一無二の施設として二階部分をもっと有効活用すべきです。また，提案１でも指摘したように沖縄人には見慣れてしまっているので当たり前のことと過小評価していますが，「水平線に沈む夕日」を眺められると言うことは，とても素晴らしく観光資源としての価値も高いということです。これをもっと積極的に活用すべきです。つまり，「道の駅」許田の二階部分は，「名護湾が一望でき，かつ，水平線に沈む夕日が眺められる」というオンリーワンの施設なのです。ここをうまく活用すると，新しい観光スポットしての商品価値が高まり，訪れる人も増えることでしょう。是非，美味しい料理を食べながら，沈む夕日を眺め，恋人たちやご家族と共に過ごす思い出深い場所を提供する施設として検討してほしいものです。

　これまでも，「道の駅」許田は，その功績を称えられ，日本道路協会会長から地域貢献，地域活性化などを評価され表彰されるという栄誉を得ました。これからも人々に受け入れられるキャッチコピーを作り，施設の２階部分を活用し，さらに充実させ，ますます地域活性化に貢献することを期待します。

注
1）第三セクター方式とは，第１セクター（国・地方自治体），第２セクター（民間企業）に次いで，その両方による経営方式です。
2）産学官連携とは，産業界の「産」と，教育機関の「学」と，国・地方自治体などの「官」が連携することです。

参考文献等
伊敷豊（2006）『沖縄に学ぶ成功の法則』樹出版社

伊藤善市（1999）『地域活性化の戦略』有斐閣

上間隆則（2000）『ローカル企業活性化論』森山書店

季刊環境ビジネス別冊（2019）『SDGs 経営』日本ビジネス出版

梶原豊（2009）『地域産業の活性化と人材の確保・育成』同友館

神野直彦（2004）『地域再生の経済学』中公新書

平間久雄（1999）『地域活性化の戦略』，日本地域社会研究所

三井物産業務部「ニューふぁ〜む 21」チーム編（2000）『「町おこし」の経営学』東洋
　　経済新報社

宮脇淳編著（2010）『第三セクターの経営改善と事業整理』学陽書房

国土交通省ＨＰ①　http://www.mlit.go.jp/road/Michi-no-Eki/list.html　（閲覧日：2019
　　年 3 月 19 日）

国土交通省ＨＰ②　http://www.mlit.go.jp/road/Michi-no-Eki/juten_eki/model02_h30.
　　html（閲覧日：2019 年 3 月 19 日）

国土交通省 ＨＰ③　http://www.mlit.go.jp/road/Michi-no-Eki/outline.html（閲覧日：
　　2019 年 3 月 19 日）

5章　生鮮食料品へのアクセスから見た「やんばる」の地域マーケティング

草野　泰宏

1. はじめに

　現代の住民の多くは，自給自足の生活ではなく，生活に必要な財やサービスについて小売店を通して購入し，それらを消費することで生活を営んでいます。本書では産業とは「人々の生活や暮らしを質・量から向上させる財の生産やサービスの提供」[1] を行なっているものであると定義しています。そのため，生産を行わない，生活に必要な財やサービスを消費者に販売するという小売業も産業の中の一種となります。

　2000年代後半から，買い物が不自由な状態に追い込まれた人びとのことを「買物難民」という言葉で表すようになりました。自宅から食料品店へのアクセス環境の問題が取り上げられています。内閣府の「国土形成計画の推進に関する世論調査」によると，居住地に求める条件として，自宅から徒歩や自転車で行ける範囲に日用品や食料を販売するスーパーマーケットを73％もの人が必要であるといいます。

　また，私たちが2016年度に行った北部12市町村での実地調査やヒアリング調査では，高齢化の激しい町や村では都市での生活を支える医療・福祉・子育て支援・教育文化・商業といった都市機能を町や村の全域で維持することは困難になっていました。現在は町や村の中心部に商業や病院などが集積しています。スーパーマーケットが自治体内に立地していないところもあり，生鮮食品を購入することが困難な自治体も存在しています。

　そのため，ここでは「やんばる」の買い物難民に関する情報を考察することで，自治体に求められる政策について明らかにしていきたいと思います。

2．買い物難民と地域

　岩間（2011）によると，2000年ごろからフードデザート（食の砂漠）に関する問題が日本で顕在化しているとされています。フードデザートとは，「郊外型のスーパーストア等の成長により，都市中心部（インナーシティ）の小売商の閉店等が相次ぎ，そこに住む人々，とりわけ自動車等の移動手段をもたない貧困層が日常生活に必要な安価で良質な，生鮮品を中心とする食料品を購入することが困難になるという事態」[2] です。
　渡辺（2010）は，日本でフードデザート問題が一般の注目を集めるきっかけとなったものの一つに「読売新聞」の2009年6月2日から12日の連載記事があるといいます。その連載記事では，郊外が開発されることで，近隣のスーパーが撤退し，結果として自家用車を持たない高齢者が生鮮食料品の入手が困難になるという状況が詳述されています。

（1）買い物弱者と買い物難民
　2009年の連載記事で指摘されたような，生鮮食料品の入手が困難な状況に置かれた人を，買い物弱者や買い物難民といった言葉で表すようになってきました。しかし，石原（2011）は，買い物弱者と買い物難民は厳密には異なるものだと指摘しています。
　「『買い物弱者』というのは，当人の側の何らかの事情で買い物に際してハンディキャップを背負わざるを得ない人びとを指すものと考え」[3] ます。例えば，移動が自由ではなくなった高齢者，出産間際の妊婦，重傷者，急病人などです。このような買い物弱者については，量の問題を問わなければ昔から存在していたものであったと言われています。
　これに対して「『買い物難民』は自らの事情とは無関係に，まわりの状況，

特に供給側の事情によって買い物が不自由な状態に追い込まれた人びとである」[4] としています。「買い物施設がなくなると不便を感じるのは，ハンディキャップを背負った弱者だけとは限らない。若者も中年の消費者も，場合によってはそれに巻き込まれてしまうかもしれない。こうした外的な要因によって買い物に不便をきたす人たちを『難民』である」[5] といいます。

この買い物難民の定義からすると，生鮮品を取扱う小売店の撤退は買い物難民を生み出すことにもなります。特に高齢者などの車やインターネットを利用できない人たちは，移動に不自由を感じる買い物弱者となると，容易に買い物難民化します。

(2) 生鮮三品を取扱う小売事業所数の推移

繰り返しになりますが，渡辺（2014）は，買い物弱者問題が顕在化してきた背景として急速な少子・超高齢社会化の進展や独り暮らし世帯の増加といった人口構造的な要因と，郊外の開発によって都市部中心部と住宅地周辺の身近な買い物場所が減少してきたことが関連していると述べました。そこでここでは，買い物場所の減少について，小売事業所数から確認していきたいと思います。

全国の生鮮食料品（食肉，鮮魚，野菜・果物）を取扱う小売業事業所数の推移をみると，食肉，鮮魚，野菜・果物ともに，1976 年をピークに一貫して減少し続けていることがわかります（表 1）。2014 年時点では，1976年のピーク時と比べて生鮮食料品を取扱う小売業事業所数はそれぞれ食肉21.6%，鮮魚 19.2%，野菜・果物 23.0%の事業所数になっていることが確認できました。このことは，近所での生鮮品の買い物が困難になっていることを示しています。

次に，沖縄県内の生鮮食料品（食肉，鮮魚，野菜・果物）を取扱う小売業事業所数の推移を確認しましょう（表 2）。沖縄県内では食肉，野菜・果物小売業の事業所数は 1974 年を，鮮魚小売業は 1979 年をピークに減少傾向にあります。2014 年時点とピーク時の鮮食料品を取扱う小売業事業所数

を比較していきたいと思います。食肉小売業は 1123 から 130 事業所（ピーク時の 11.6%）の事業所数となっています。同様に鮮魚小売業は 1174 から 233 事業所（同 19.8%），野菜・果物小売業は 614 から 142 事業所（同 24.8%）へと減少しました。このことは，沖縄県内においては，買い物難民が問題視される 30 年以上前から，その事業所数が減少していたこと，特に食肉店の減少が著しいことが明らかになりました。

　さらにここでは，やんばるという沖縄県北部 12 市町村で生鮮食料品を取扱う小売業の事業者数を明らかにしていきたいと思います。しかし，商業統計では，沖縄県内の町や村については生鮮食料品（食肉，鮮魚，野菜・果物）を取扱う小売業の事業所数のデータが得られません。そのため，ＮＴＴタウンページを用いて事業所数を明らかにしていきます。加えて，現在我々

表1　全国の生鮮食料品（食肉，鮮魚，野菜・果物）を取扱う小売業事業所数の推移

	食肉小売業	鮮魚小売業	野菜・果実小売業
1972年	39,366	56,165	65,293
1974年	42,222	56,947	66,110
1976年	43,836	58,057	66,195
1979年	43,874	56,574	61,727
1982年	41,371	53,133	58,785
1985年	36,171	46,638	50,871
1988年	32,979	44,202	50,097
1991年	28,808	41,204	46,700
1994年	24,723	34,935	40,073
1997年	21,046	30,338	34,903
1999年	19,066	29,878	34,243
2002年	17,215	25,485	29,820
2004年	14,824	23,021	27,709
2007年	13,682	19,713	23,950
2014年	9,467	11,118	15,220

（出所）『商業統計調査（各年)』

表2　沖縄県内の生鮮食料品（食肉，鮮魚，野菜・果物）小売業事業所数の推移

	食肉小売業	鮮魚小売業	野菜・果実小売業
1972年	1,044	1,001	612
1974年	1,123	994	614
1976年	1,118	1,156	543
1979年	1,047	1,174	465
1982年	853	1,158	400
1985年	634	945	318
1988年	529	880	268
1991年	443	787	301
1994年	345	683	263
1997年	280	585	257
1999年	263	552	257
2002年	236	482	263
2004年	188	444	288
2007年	160	420	273
2014年	130	233	152

（出所）『商業統計調査（各年)』

1

72

消費者の多くが生鮮三品と呼ばれる食肉，鮮魚，野菜・果物をワンストップで提供しているスーパーの店舗数を確認しましょう（表3）。さらに，人口1000人あたりの店舗数を算出してみましょう（表4）。

　東村と伊是名村では，生肉店，鮮魚店，青果物店を確認することができませんでした。また，大宜味村，恩納村，宜野座村，伊江村，伊平屋村においては生肉店，鮮魚店，青果物店のうち，いずれかの小売店舗を確認することはできませんでした。

　しかしながら，国頭村と本部町については，生肉店，鮮魚店，青果物店の人口1000人あたりの立地数が，いずれにおいても全国平均，沖縄県平均を共に上回っていることが確認できます。このことは，国頭村と本部町が生鮮食料品店にアクセスしやすい地域であるといえます。

　以下では，全国で議論されている生鮮食料品までのアクセス状況につい

表3　やんばるの生鮮食料品（生肉店，鮮魚店，青果物店，スーパー）の店舗数

市町村名	人口（人）	生肉店（店）	鮮魚店（店）	青果物店（店）	スーパー（店）
名 護 市	61,674	9	15	4	9
国 頭 村	4,908	2	7	1	—
大宜味村	3,060	—	—	1	—
東　　村	1,720	—	—	—	—
今帰仁村	9,531	2	3	1	1
本 部 町	13,536	5	15	2	3
恩 納 村	10,652	1	2	—	—
宜野座村	5,597	1	—	—	—
金 武 町	11,232	1	1	1	2
伊 江 村	4,260	1	3	—	1
伊平屋村	1,238	—	1	—	—
伊是名村	1,517	—	—	—	—

（出所）総務省統計局（2015）『平成27年度国勢調査』，NTTタウンページ株式会社（2015）『タウンページ沖縄本島版』西日本電信電話株式会社，および商業界（2016）『日本スーパー名鑑2015年版　店舗編（5巻）』商業界より作成

て，生肉店，鮮魚店，青果物店，スーパーが複数立地している本部町が一体
どのような状態にあるのか明らかにしたいと思います。

3．本部町における生鮮食料品へのアクセス

　内閣府の調査によると，歩いて行ける範囲が 500m であると答えた人の
割合は 60 代で 18.6％，70 歳以上になると 30.5％であるとされています
（表 5）。そのため，生鮮食料品へのアクセスを半径 500m で設定したアク
セスマップを作成したいと思います。

　2015 年時点は，本部町内で生肉店，鮮魚店，青果物店の店舗数はそれぞ
れ生肉店 5 店，鮮魚店 15 店，青果物店 2 店でした。そしてスーパーの 3 店

表 4　人口 1000 人あたりの生鮮食料品（生肉店，鮮魚店，青果物店）店舗
　　　数

市町村名	生肉店（店）	鮮魚店（店）	青果物店（店）
名 護 市	0.146	0.243	0.065
国 頭 村	0.407	1.426	0.204
大宜味村	0	0	0.327
東　　村	0	0	0
今帰仁村	0.210	0.315	0.105
本 部 町	0.369	1.108	0.148
恩 納 村	0.094	0.188	0
宜野座村	0.179	0	0
金 武 町	0.089	0.089	0.089
伊 江 村	0.235	0.704	0
伊平屋村	0	0.808	0
伊是名村	0	0	0
沖 縄 県	0.091	0.163	0.106
全　　国	0.074	0.087	0.120

（出所）総務省統計局（2015）『平成 27 年度国勢調査』，NTT タウンページ株式会社（2015）
　　　　『タウンページ沖縄本島版』西日本電信電話株式会社より作成

があります。これを図に示してみます。

　生肉店・鮮魚店・青果物店あるいはスーパーの立地は本部町の西部（大浜から渡久地にかけて）に集積していることが確認できました（図1，図2，図3）。この範囲にはスーパーや本部町営市場があり，生鮮食料品店が多く立地しています。

　より詳しく地域をみるために，GIS（地理情報システム：Geographic Information System）を活用してみましょう。2015年現在の本部町の人口分布と食料品店の位置関係を明らかにして，自宅から500m以内に生肉店・鮮魚店・青果物店あるいはスーパーが立地している住民の数を算出しま

表5　60歳以上の人々が歩いていける範囲

	500m	501m〜1,000m	1,001m〜1,500m	1,501m〜2,000m	2,001m以上	その他	わからない
60〜69歳	18.6%	34.3%	19.9%	13.9%	11.6%	0.4%	1.2%
70歳以上	30.5%	28.5%	13.8%	10.8%	10.1%	2.7%	3.6%

（出所）内閣府（2009）「歩いて暮らせるまちづくりに関する世論調査」

図1　本部町における生肉店および食品スーパーのアクセスマップ

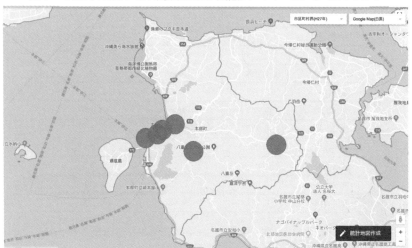

図2　本部町における鮮魚店および食品スーパーのアクセスマップ

図3　本部町における青果物店および食品スーパーのアクセスマップ

図1・2・3とも
（出所）商業界（2016）『日本スーパー名鑑 2015 年版　店舗編（5 巻）』商業界，および NTT
　　　タウンページ（2015）『タウンページ沖縄本島版』西日本電信電話より作成

した[6]。

　2015年現在の本部町は，総人口13,536（そのうち65歳以上の高齢者は3,653）人です。このうち生肉店から半径500m以内に居住する人は総人口のうち30.1％（高齢者の30.9％），鮮魚店では総人口の37.8％（高齢者の39.2％），青果物店は総人口の27.9％（高齢者の28.5％）であることが明らかになりました。このことは，「やんばる」の中でも生鮮食料品店の立地が多い本部町でも，地域住民の多くは，歩いて行ける範囲に生鮮食料品を扱う店舗が少ないということがわかりました。今後高齢化が進んでくると，「やんばる」の生活を支える住民サービスという視点でも，買い物弱者や買い物難民の対策が重要になってくるといえます。

4．地域マーケティングと買い物難民対策

(1) 地域マーケティングとは

　買い物弱者や買い物難民の対策について，マーケティングと地域マーケティングの視点で考えてみたいと思います。マーケティングとは，1990年に日本マーケティング協会によって，以下のように定義されています。

　　　企業及び他の組織（教育・医療・行政などの機関，団体などを含む）が，グローバルな視野（国内外の社会，文化，自然環境の重視）に立ち，顧客（一般消費者，取引先，関係する機関，個人，および地域，住民を含む）との相互理解を得ながら，公正な競争を通じて行う市場創造のための総合的活動（リサーチ・製品・価格・プロモーション・流通，および顧客・環境関係などに係わる諸活動）[7]

です。ここで特に注目すべきは，消費者，取引先，関係する機関，地域住民といった「顧客」との相互理解を得ながら，公正な競争を通じて行うものをマーケティングであると定義として掲げていることでしょう。このようにマ

ーケティングが地域住民を対象とした定義とされていることからも，近年議論されているまちづくりとの関係が深いものと考えることができます。

　地域のマーケティングについて，コトラーら（Kotler, Haider, Rein）は，地域のマーケティングを考えるには，経済・人口動向の情報を集め，地域の実状を把握するところから出発しなければならないと指摘し，都市そのものを主体とした地域のマーケティングについて論じています。

　地域には4つのターゲットがあるとされています。それは，①ビジター，②住民と勤労者③企業や産業，④輸出です。

　①ビジターとは，観光や買い物などの私的な目的や，ビジネス上の目的のために，まちの外からその地域を訪れる人々のことを指しています。ビジターを惹きつけるための方策として観光の誘致活動などがあります。

　②住民と勤労者とは，そのまちで生活する住民やそこで働く人々のことです。「市町村が特定の住民や勤労者を引きつけようというのなら，それにふさわしい奨励策を講じなくてはならない」[8] といわれています。例えば若い家族を引きつけたいと考えていれば，市町村は学校や安全な環境を提供しなければならないとされています。

　③の企業も地域にとって需要な顧客です。工場や企業誘致に成功すると，まちの税収に貢献し，地域住民に雇用を提供します。そのため，補助金を支給し工場や大型商業施設を誘致しています。

　④輸出とは，わかりやすく言えば地元産の製品やサービスを他の場所の人々や企業に消費してもらうことです。

　①のビジターは観光，③の企業は産業振興，④の輸出は地域の特産品などの議論であり，買い物弱者や買い物難民問題としての生鮮食料品へのアクセスの議論とは別の機会に考える問題です。そのためここでは，自治体が②の住民と勤労者の日常生活を支える買い物環境を整備する政策について考察していきたいと思います。

　流通経済研究所（2016）は，買い物困難者に対して，①店を作る，②店への交通手段を提供する，③商品を届ける(宅配)，④店舗を届ける(移動

販売）という4つの対策を紹介しています。しかしこれらの対策は，現状の他地域での取組みは採算が取れていないことが多く，ボランティアに頼る部分が大きいため，事業の継続性が困難であることが課題として挙げられています。

　本部町においても2017（平成29）年第4回本部町議会定例会で高齢者への買い物支援，サービス等に関する，町の考え方について質問がありました。その答弁の中で本部町の高良文雄町長（当時）は

> 地域によっては交通機関等がなく，また小型商店の減少に伴い，自宅から商店までの間，徒歩では行けない等問題が生じている地域がございます。そのような中で，健堅区のように民間企業により買い物支援を，自主的に展開を行っている地域もあります。（中略）実際，細かく，どの地域が困っていらっしゃるのか，その辺を実態調査といいますか，まずその実態を把握して，どういうような支援をしてほしいのか。そのニーズを的確に把握して対応してまいりたいと思っております[9]

と指摘しており，買い物難民問題が本部町で生じていることを明らかにしています。この問題への対応については，どの地域で問題が起こっているのか詳細に実態を把握することが重要である，とされています。

　2017年1月18日の琉球新報によると，本部町健堅では同集落で個人店舗が少なくなり，食料品などを購入するためには市街地まで行く必要が出てきました。同集落では，民泊事業を行う民間企業が，自家用車を持たない住民を対象に買い物支援のバスを運行しています。この買い物支援の運営費は利用者から徴収するのではなく，企業が民泊の収益を活用して賄っている，とのことでした。

　住民生活の視点から考えると，日常生活で必要な生鮮食料品を容易に購入することができるということは重要な課題です。この課題を民間企業のみに

任せてしまうと，利益を確保できない状況では，買い物支援事業が廃止される可能性があり，継続性の観点から課題を残していると言えます。そのため自治体においては，買い物支援事業を継続して支援する政策が求められます。

5．おわりに

ここでの目的は「やんばる」の買い物難民に関する情報を考察することで，自治体に求められる政策について明らかにしていくことでした。「やんばる」内で人口あたりの生鮮食料品の店舗数が多い本部町でも，生肉店，鮮魚店，青果物店あるいはスーパーにアクセスすることが困難な地域に，多くの人が居住しているということを確認しました。生肉店，鮮魚店，青果物店，スーパーといった生鮮食料品店の立地を地図に落とし込むと，今後課題となる地域を具体的に確認することができました。

このような生鮮食料品店の立地状況を踏まえた上での継続的な支援が国や地方公共団体においても求められます。そのため今後は今回収集した基礎データを生かして，やんばるの地域住民を考えた地域マーケティングの視点で，買い物難民問題への，持続可能な対策について検討していきたいと思います。

注
1）詳しくは本書の「産業構造と地方財政」を参照ください。
2）渡辺達朗（2010）2ページ。
3）石原武政（2011）46ページ。
4）同上。
5）同上。
6）現在では，「地図で見る統計（jSTAT MAP）」（https://www.e-stat.go.jp/gis　閲覧日：2018年10月15日）に小売店の住所データを反映することで，これらの情報

を入手することができます。

7）足立辰雄編（2016）84 ページ。

8）Kotler, Philip, Haider, Donald, and Rein Irving（1993, 訳 1996）, Marketing Places, The Free Press（井関利明監訳，前田正子・千野博・井関俊幸訳『地域のマーケティング』29 ページ。

9）「本部町議会会議録」（http://www.town.motobu.okinawa.jp/gikainoshikumi/ kaigiroku 閲覧日：2019 年 6 月 10 日）

参考文献

足立辰雄編（2016）『ビジネスをデザインする―経営学入門―』ミネルヴァ書房

石原武政・石井淳蔵（1992）『まちづくりのマーケティング』日本経済新聞社

石原武政（2011）「小売業から見た買い物難民」『都市計画』Vol.60，No. 6, pp.46-49

岩間信之編（2013）『フードデザート問題』農林統計協会

岩間信之（2014）「フードデザート問題の現状と地域づくり」『月刊福祉』97(5)，pp.36-39

加藤司（2011）「地域商業の活性化とまちづくりの課題―買い物弱者問題に関連して―」生協総合研究所『生活協同組合研究』No.431, pp.13-22

経済産業省（2010）「地域生活インフラを支える流通のあり方研究会報告書」

経済産業省（2011）「買い物弱者応援マニュアル ver.2」

経済産業省（1972, 1974, 1976, 1979, 1982, 1985, 1988, 1991, 1994, 1997, 1999, 2002, 2004, 2007, 2014）「商業統計調査」

坂爪浩史・佐久山拓造（2015）「生協における移動販売事業の展開とその意義」流通経済研究会監修，大野哲明・佐々木保幸・番場博之編著『格差社会と現代流通』同文館出版

商業界編（2014）『日本スーパーマーケット名鑑 2015 年版 店舗編（5 巻）』

杉田聡（2008）『買物難民』大月書店

総務省統計局（2015）「国勢調査」

電通 abic project 編（2009）『地域ブランド・マネジメント』有斐閣

東洋経済新報社（2014）『全国大型小売店総覧』

内閣府（2009）「歩いて暮らせるまちづくりに関する世論調査」

内閣府（2015）「国土形成計画の推進に関する世論調査」

宮平栄治・草野泰宏・卯田卓矢・宮城敏郎・伊良皆啓・大谷健太郎（2017）「天の時・

地の利・人の和を生かした地域振興」『環太平洋を中心とする沖縄から／への〈人の移動〉に関する総合的研究』pp.173-240

本部町（2017）「平成 29 年第 4 回本部町議会定例会会議録」

「無料で買い物支援　合同会社健堅　車のない区民対象」『琉球新報』2017 年 1 月 18 日

森隆行（2013）「日本における買い物難民問題とサプライチェーン」『流通科学大学論集―流通・経営編』26（1），pp.103-116

薬師寺哲郎編（2015）『超高齢社会における食料品アクセス問題』ハーベスト社

本部町（2017）「平成 29 年第 4 回本部町議会定例会会議録」

「無料で買い物支援　合同会社健堅　車のない区民対象」『琉球新報』2017 年 1 月 18 日

渡辺達朗（2010）「日本型フードデザート（食の砂漠）―急がれる『買い物不便地域』への対応策―」『流通情報』No.483，2-3 頁

渡辺達朗（2014）『商業まちづくり政策』有斐閣

Kotler, Philip, Haider, Donald, and Rein, Irving（1993，訳 1996），Marketing Places, The Free Press（井関利明監訳，前田正子・千野博・井関俊幸訳『地域のマーケティング』）

流通経済研究所（2016）「買い物困難者対策スタートブック」（平成 28 年度農林水産省補助事業）

6章　産業構造と地方財政

宮平　栄治

1．はじめに

　この章では産業と都道府県や市町村の財政である地方財政の関係について説明します。産業と地方財政は，コインの裏表の関係にあります。産業が発展している地域は，企業からの賃金などの所得や法人事業税が高いため，地方財政も自立性が高くなります。また，地方財政が豊かになれば，住民サービスも向上し，地域政策も自由度が高まり，独自の産業政策が行いやすくなり，地域の経済力が高まるという好循環が期待できます。

2．産業の定義

　産業構造を学ぶ前に産業を定義づけしてみましょう。
　産業を一般的な辞書である『広辞苑－第6版－』の定義を引用すると以下のように説明されています。

　　　①生活してゆくための仕事。なりわい。生業。②［経］（industry）
　　　生産を営む仕事，すなわち自然物に労働を加えて，使用価値を創造
　　　し，また，これを増大するため，その形態を変更し，もしくはこれを
　　　移転する経済的行為。農業・工業・商業および貿易など。

　この定義では産業のイメージがわかりにくいので，「産業」という言葉が

どのように使われているかを知ることで「産業」のイメージを高めましょう。「産業」と関連する言葉は次の7つあることが分かります。①伝統産業，②コミュニティ・ビジネス，③地場産業，④輸入代替産業，⑤輸出産業，⑥先端産業，⑦産業革命などです。これらの産業の具体例や雇用や所得に与える影響の視点から分析しましょう。

　「伝統産業」とは，地域や国の文化に根付いた産業です。例としては，モウイ豆腐などがあります。消費は地域限定で全国的ではありません。そのため，地域の所得や雇用を拡大するまでの影響力はありません。しかし，一部の部外者がソーシャル・ネットワークなどを利用し，情報発信し，知名度が広がると「隠れた名品」と変化する場合があります。ただし，ブームになって需要が増えても，供給力や商品管理などが不十分な場合は，短期間で廃れてしまうという多くの事例があります。

　「コミュニティ・ビジネス」とは，古くからある地域で消費されていたり，ブームになりかけている財の生産です。例としては，伝統野菜などがあります。消費は地域限定的ですので，地域の所得や雇用拡大にはこの段階では非常に小さい状況です。このコミュニティ・ビジネス関連商品も伝統産業と同じように，ブームになると地域経済へ大きな影響を与える可能性を秘めています。例としては石垣市のペンギン食堂の「食べるラー油」などがあります。

　「地場産業」とは，地域の文化や嗜好に根付いた産業です。例としては，泡盛などがあります。消費は特定地域で全国的ではありません。そのため，地域の所得や雇用拡大にはこの段階では地域限定的です。しかし，政策やマーケティング次第では，全国的に知名度が高まり，ブランドイメージが定着すれば地域経済を支える産業へと変わる可能性があります。例としては「黒霧島」などがあります。また世界的な商品となった代表例がキウイです。1904年に中国からニュージーランドに種が持ち込まれた栽培が始まり，1934年には輸出が始まりました。1980年代には価格競争で価格が低下しましたが，管理体制や1997年には統一ブランド化などにより世界市場への

展開が可能になりました[1]。

　「輸入代替産業」とは，外国から輸入していた財（「輸入財」といいます。）を国内で生産し，国内で消費する産業です。例えば，日本ではホンダの航空機生産などがあります。消費は国の内外となります。輸入品が国内で生産されることで，外国に流れていった所得が国内に留まり，また，雇用も増えることになります。

　「輸出産業」は，輸入代替財が，国内で消費された以上に財を生産することで残った財を世界へ販売する産業です。例えば，日本では，自動車などが相当します。輸出財は，消費が世界的規模ですので，雇用や所得にあたえる影響が特に強い産業です。また，輸出産業の工場が各地に立地した場合，その地域は輸出産業に依存した地域経済構造になります。別の表現では，「企業城下町」ともいわれます。ただし，輸出産業が後発国の企業の追い上げで振るわなくなり，工場閉鎖となると地域経済が疲弊する憂き目にも遭います。

　「先端産業」は，まだ一般化されていない財であるが，将来，人々の生活等を豊かに変えそうな財をいいます。例えば，「ｉＰＳ細胞」を用いた医学や製薬などがあります。消費の規模は世界的で，成功すれば，特許などにより莫大な利益が得られます。

　「産業革命」は，新商品や新素材の開発，生産方式の刷新，軽薄短小など商品の改善によって私たちの生活が劇的に変化することをいいます。例としては，洗濯機の開発と普及で洗濯という労働がなくなり，洗濯に費やされていた時間を別のことに利用できることが可能となりました。産業革命には，起業家精神，科学技術の応用，資金支援などの社会制度が不可欠です。

　以上ことから産業については次の 12 の用語にまとめることができます。①財やサービスの存在，②需要の存在，③需要の十分性，④マーケットの広域性，⑤人々の生活や暮らしの質・量の向上，⑥財やサービスの効能に対する人々の認知・承認・期待，⑦市場の存在，⑧生産組織の存在，⑨企業や消費者を支える社会組織や制度の存在，⑩生産組織の効率的組織化，⑪所得や

雇用形成の場の形成，⑫他の産業への影響です。

　以上のキーワードから産業を定義づけると，産業とは，供給面では，生活や暮らしでは，人々の生活や暮らしを質・量から向上させる財の生産やサービスの提供となります。また，人々に雇用の場と所得の場を与え，所得が，生活ができるほど十分に満たされている経済活動となります。どのように所得と雇用がつながるかについては産業連関をお読み下さい。

　さて，需要面では，産業を支えるほど十分な地元や消費地の消費者数と消費規模が必要となります。そのためには，消費者がサービスの良さを認知・承認しなければ店頭に陳列されたとしても見向きもされませんし，購入も難しくなります。実際に消費してもらうには，財やサービスの品質が良い事に加え，適切な販売促進活動も必要となります。さらに，企業が消費者の信頼に応えるような組織化も必要となります。また，生産を支える労働者数の確保や制度の整備がなされています。

　また，産業が成立するためにはある程度まとまった商圏人口も必要です。沖縄のように小さな島々からなり，東京や中国などの大消費地と海で隔てられている場合は売り方や流通の整備などが必要になります[2]。また，近接する地域では，特に，農産品では果物や野菜が共通しますので，統一したブランドや出荷調整をおこなう組織がないと競争関係になり，価格が低迷します。さらに，人気商品になると産地偽装や偽ブランド品なども問題が発生します。沖縄でもシークヮーサーや海ブドウの産地偽装がありました[3]。したがって，ブランド管理政策も重要になります[4]。

3．産業分類

　産業構造でなじみがあるのが，産業を第 1 次産業（primary industry）を農林水産業，第 2 次産業（secondary industry）を製造業，第 3 次産業（tertiary industry）をサービス業とわける 3 分類法でしょう。この第 1 次，第 2 次，および第 3 次という産業分類を，1939 年に初めて提案したのがオ

ーストラリアの経済学者のフィッシャーでした[5]。

また後述のように産業構造の変化を歴史検証したコーリン・クラークは，フィッシャーの3分類を次のように定義づけしています[6]。

第1次産業が次の5種類，①農業，②牧畜業，③水産業，④林業，⑤狩猟業です。第2次産業が次の4種類，①製造業，②建築業，③共事業，④ガスおよび電気供給業，⑤鉱業です。第3次産業は第1次および第2次産業に属さないすべての産業で次の5種類，①配給業，②運輸業，③行政，④家事労働，⑤非物的産出部を生産するその他の産業となっています。

この3分類に産業の区別は，便利ではありますが，私たちの現実の社会に照らし合わせると必ずしも的を射ていません。例えば，職業を尋ねられたとしましょう。3分類法だと職業は，フィッシャーの定義では農業，林業，漁業，製造業，サービス業の5種類，クラークの定義だと第3次産業の家事労働を含めても14種類です。

職業分類が5種類から14種類では細かな政策立案が難しくなります。例えば，子育て支援においては，待機児童対策が問題にされます。待機児童数がなかなか減少しないのは必要な保育士数が不足しているためにです。そのため，待機児童の解消のためには保育士の育成と増員が必要になります。ところが，保育士はサービス産業に含まれますが，職業の種類がサービス産業だけでは，現在，何人が保育士として働いているのかも分かりません。そのため，この問題の解決に必要な保育士の数も把握できません。

以上の理由から現在では産業や職種を大分類・中分類・小分類で産業と職種を分けています。例えば，平成26年（2016年）4月に改定された「業種コード表（日本標準分類）」の大分類では，Ａ.農業・林業，Ｂ.漁業，Ｃ.鉱物，採石業，砂利採取業，Ｄ.建設業，Ｅ.製造業，Ｆ.電気・ガス・熱供給・水道業，Ｇ.情報通信業，Ｈ.運輸業，郵便業，Ｉ.卸売業，小売業，Ｊ.金融業，保険業，Ｋ.不動産業，物品賃貸業，Ｌ.学術研究，専門・技術サービス業，13.宿泊業，飲食サービス業，14.生活関連サービス業，娯楽業，Ｍ.教育，学習支援業，Ｎ.医療，福祉，Ｏ.複合サービス事

業，Ｐ．サービス業（他に分類されていないもの），Ｑ．公務（他に分類され
るものを除く），Ｒ．分類不能の産業，というように 20 の産業が示されてい
ます。さらに，中分類では 99 種類，小分類では 529 種類となっています。

4．産業構造

　産業構造（Industiral Structure）について説明します。富士山をみる場合，
同じ富士山でも静岡県側から見る富士山と山梨県側から見る富士山では趣
が違います。産業構造も，次の 3 点，①産業構造の組合せ（Combination），
②産業構造の構成（Composition または Share），そして③経済構造の連関
構造（Linkage Structure）から産業構造を考えます [7]。この 3 つの角度から
産業を見ることによって建物の立面図のように産業の構造を捉えるのが産業
構造です。
　「産業の組合せ」は，一国やある地域がどのような産業から成り立ってい
るかで産業構造を分析します。例えば，シークヮーサー・ジュースを生産す
る場合は，シークヮーサー生産農家，集荷企業，ジュース加工工場，卸売，
そして小売が産業の組合せとなります。
　産業の組合せの変化は，次の 3 つ，①新産業の登場，②既存産業の消滅，
③業際化です。業際化とは，これまで区分されていた産業が結合して新しい
産業へと変わることをいいます [8]。例えば，「豆乳」は豆腐の原材料ですが，
健康に良いという機能が消費者にわかるようになると，豆乳を飲むようにな
りました。そうなると，豆乳は豆腐という「加工食品産業」の原材料に加
え，「飲料産業」の商品にもなります。産業構成の変化を促すのは国内外か
らの投資，経済援助などがあります。
　次に「産業構造の構成」は，産業の組合せで調べた産業がどのような割合
で存在しているかで産業構造を分析します。例えば，農業地域では，農家を
職業とする戸数，農業に従事する人，出荷量および出荷額が第 2 次産業や
第 3 次産業よりも比率が高くなります。

　産業構造の構成の変化には，同じ製品を生産しているライバル地域の盛衰，消費者の嗜好の変化などがあります。

　最後に「産業構造の連関構造」は，消費者に提供される製品やサービスである最終消費財があります。最終消費財は，企業が原材料を加工して消費者の手に届きます。この原材料から最終消費財へとどのように加工されるのか，あるいは，どの産業から原材料が需要され，最終消費財へと変わるのかを統計的にまとめたものが産業連関構造です。産業連関構造の変化には，前述の産業構造の構成でみたライバル地域や消費者嗜好の変化に加えて，工場の進出や撤退，技術革新，制度変更，近隣市町村への大型商業施設の誕生などがあります。

5．産業を決めるのは何か

　産業はどのように決まるのでしょうか。ここでは産業の決まり方を「国際経済学」と「経済地理学」の理論から説明します。国際経済学では，リカードの比較生産費説，ヘクシャー＝オリーン・モデルから一国に存在する資源の量と産業の決まり方を説明します。また，経済地理学では，はチューネン圏モデルとウェーバーの工業立地論から産業の成り立ちを考えます [9]。経済地理学の産業決定方法を一言で述べると，市場と産地の距離，輸送コスト，技術革新によって国や地域の産業構造が決定されるということです。

（1）リカードの比較生産費説

　沖縄県のように市場から海によって隔てられた島嶼地域では面積も狭いため，産業化には絶対的に不利な状況にあると思われます。

　ところが，イギリスの経済学者リカードは，2国間である国が農産品と工業品の両方の生産で他の国よりも優れていて（この状況を「絶対優位」といいます），もうひとつの国が他の国よりも劣っていて（この状況を「絶対劣位」といいます）も，自由貿易が行われ，しかも，絶対優位国と絶対劣位国

の両国国民が経済的に豊かになるという理論を述べました。

　両国国民が自由貿易で潤うためには，両国がそれぞれの生産性を比較し，生産性の劣った製品（「比較劣位」の製品といいます）の生産を中止し，生産性が優れた製品（「比較優位」の製品）だけを生産します。この生産方法を「完全特化」といいます。完全特化で自国の消費以上に生産した分を相手国に輸出し，貿易相手国では比較優位な製品である自国の比較劣位な製品を輸入すれば，自国で比較優位な製品と比較劣位な製品の両方の製品を生産していた場合よりも豊かになります。この考えをリカードの比較優位説といいます[10]。

（2）ヘクシャー＝オリーン・モデル

　リカードの比較優位説では，国際貿易が発生する要因は，国と国との間の生産性の差異でした。そして，国際間で生産性の差異がある場合，比較して生産性が有利な財を生産します。その場合，生産性が有利な財だけを生産し，その他の財はまったく生産しないという完全特化となります。

　ここで説明するヘクシャー＝オリーン・モデルでは，現実の国際貿易では完全特化ではなく不完全特化です。つまり，ただ一つの財やサービスを生産している国や地域はどこにもありません。この現実を踏まえ，国際貿易が発生する要因は，国と国との間で生産に必要な資本や労働などの生産要素がどれくらい豊富か，あるいは，希少かという生産要素の賦存状況の差異であると考えます[11]。

　ヘクシャー＝オリーン・モデルは，その国や地域に豊富に存在する生産要素に有利な産業が発展するという考えです。生産要素には，先に述べた労働力，資本の他に土地も含まれます。また，生産要素は，財やサービスを生産する際，資源やエネルギーを変形加工する時に用いられ，短期的には変動しません。その意味と沖縄の観光業の発展を考えると生産要素には自然や地理的要因も含めても良いかもしれません。

　なお，ヘクシャー＝オリーン・モデルは，国際貿易を決定する要因として

要素賦存に加え，世界全体の生産量が実際にどの水準で決定されるかは，輸出品と輸入品の相対価格，すなわち，世界の生産と消費が均衡する場合に決定される両財の交換比率（交易条件）の大きさにも依存すると述べています。

　交易条件とは，輸出財の価格と輸入財の価格の比で，交易条件＝輸出財価格÷輸入財価格となります。交易条件の意味は，「輸出財を1単位輸出で得た外貨で購入できる輸入財の量」となります。交易条件が，資本を使って農産品などのように資本集約に不向きな製品価格が工業製品など資本集約に向いている製品価格よりも安い場合は，両国とも工業製品だけを生産します。交易条件が，労働を使って農産品などのように労働集約に向いている製品価格よりも労働集約に不向きな工業品の製品価格が安い場合は農産品だけを生産することになります。

（3）チューネン圏モデル

　チューネンは，都市と都市近郊の農業の形態が次の4段階に変化することに着目しました。すなわち，①都市から約4km以内では，園芸や牛乳の生産，②都市から約4km〜10数kmの圏では大都市から肥料を購入できるため，園芸ほどではないにしても，かなり手のかかるジャガイモ，キャベツ，ダイコンなどの作物の栽培，③都市から約10数km〜75kmの圏では，第2次圏のような作物は自給用にしか生産しません。また肥料は都市から購入するのではなく，牧畜と組み合わせて自給します。④都市から約75km以遠の圏では，輸送費用をまかなえるように，穀物をブランデーや食肉（家畜飼料として穀物を耕作するという意味で）の形態に変えて都市に供給しています。

　このように変化する理由は，価格に占める輸送費用比率や保存方法が影響していると考えました。都市に近い農場では，価格に占める輸送費用比率の高い農産物が生産され，遠方では価格に占める輸送費用比率の低い農産物や腐敗しやすい製品が生産されているからです。

（4）ウェーバーの工業立地論

　ウェーバーは，20世紀初めに古典的工業立地論を確立しました。ウェーバーの工業立地論は，次の2点，①工業立地と用最小化原則，②工業の集積と工業地域形成を説明しています。

　工業立地と費用最小化では，工業生産とその製品の販売過程で発生するコストには次の7つがあります。①土地取得または借地費用，②固定資本費用（減価償却を含む），③原材料・動力源調達費，④労働費，⑤製品輸送費，⑥利払い費，⑦管理，光熱，租税，保険料といった一般管理費です。

　これらの費用のうち，工業が立地する場所によって大きく変動する費用を立地因子と考えることができます。立地因子は，原材料・動力源調達費，労働費，製品輸送費，土地費用（地代）であるとされています。これらのうち，原材料・動力源調達費と製品の輸送費は，輸送費一般の問題と捉え直すことができます。

　立地因子は，さらに工業全般に起因する費用として一般因子，特定の工業のみに起因する費用としての特殊因子に細分化されます。一般因子には輸送費，労働費，地代などが含まれます。また，特殊因子の例として，特定の食品工業の原料では腐敗のスピードがあります。さらに，工業を特定の場所に立地させる因子は局地因子と名づけられています。

　ウェーバーの工業立地論の目的が，工業地形形成の一般理論を構築することであるため一般的な局地因子を分析することになります。一般的な局地因子には，輸送費と労働費です。これらの因子で，一般的な局地因子，輸送費と労働費の2因子の作用の結果として，工業立地の基本網が地表に作り出されます。

　以上が国際経済学や経済地理学からみた産業の決まり方でした。次に産業を数字で考察する方法を産業連関表で考察します。

6. 産業連関表と産業構造数値化

　産業構造の変化を数値化する方法としては，弾力性，相関係数，ＧＤＰ成長方程式，ＩＳバランス式，全要素生産性分析，産業連関があります [12]。ここでは，6 次産業化とも関連が深い産業連関について述べます。

　産業連関表は，①産業間の取引関係，②消費や投資，財政支出，移輸出などの最終需要，③雇用者所得や営業余剰などの付加価値をまとめて見ることができます [13]。

　産業連関表では，産業構造の分析と経済波及効果の分が可能となります。産業構造の分析は，取引基本表による分析で行われます。具体的には，産業別生産額，中間投入と付加価値，中間需要と最終需要，移出入と移輸入の分析です。これらの分析から，地元の基幹産業は何か，農産物の地産・地加工・地消の実態はどうなっているのか，産業と産業の財・サービスの取引関係や地元と他地域の財・サービスの取引関係はどうなっているかが数値化されます。

　経済波及効果分析は，投入係数表と逆行列係数表による分析で行われます。具体的には，影響力係数と感応度係数，ある需要増加と関連する産業への誘発の程度，賃金や利潤などの付加価値への誘発の程度，移輸入の誘発の程度を分析します。分析でわかることは，所得がどの程度漏れているか，つまり，外部からの所得が地元にどの程度残り，どの程度域外に流出するかという生産波及効果，産業が他産業に与える影響と他産業から受ける影響，移出産業と地元市場産業との関連，自治体予算の生産誘発効果などが分かります。

　最近では内閣府が「地域経済分析システム」（Regional Economy and Society Analyzing System（以下では RESAS とします。）によって，地域の経済構造にする情報提供を行っています [14]。

　例えば，名護市の地域の経済活動を把握するために地域経済循環図によっ

て，名護市の「生産」「分配」「支出」活動を通じて，資金循環や，地域内外への流出入の状況や漏れの状況を見てみましょう[15]。

　名護市の地域経済循環率の79.9%とは，生産（付加価値額）の1,591億円を分配（所得）の1,992億円で割った値です。値が大きいほど地域経済の自立度の高さを示し，値が低いほど他地域から流入する所得に対する依存度が高いことを意味しています。

　支出項目を見ると地域内の住民・企業等に分配された所得がどのように使われたかを把握することができます。

　名護市の場合，地域外ら122億円の流入があるもののその他の支出で445億円が地域外へ流出していることが分かります。

　その他の支出には，名護市内産業の移輸出入収支額等が含まれますので名護市外への消費財や原材料の調達のため，所得が名護市内で十分に循環していないことが予想されます。また，資金循環面でも将来の技術の発展に欠かせない民間投資の一部も名護市外へと流出していることが分かります。これらの漏れの原因を分析し，少なくすることが地域の経済的自立を豊かな生活の手がかりとなります。

7．産業構造と地方財政

　地方財政を学ぶ前に財政の語源から役割を考えてみましょう。財政という言葉には，政府に関係した貨幣現象を意味しています。政府に関係した貨幣現象とは，政府が強制力にもとづいて社会を統治するために，必要な貨幣を受け取ったり，支払ったりすることを意味します[16]。

（1）地方公共財供給の考え方

　地方公共財の供給に関する意思決定は，効率と公平の観点から，公共財の受益地域と負担地域の一致が要求されます。なぜなら，便益の及ばない地域の住民が負担することは公平ではないし，もし他地域の住民によって公共

財のコストの一部が賄われるとすれば，受益地域の住民は公共財の供給に対して過大な要求をするであろうし，非受益地域の住民は公共財の供給を少しでも減らそうと考えるからです[17]。このような特徴がある地方財政を産業構造と関係の深いと考えられる市町村税と財政力から名護市を例に考察します。

（2）市町村税の特徴

　表1には，平成27年度における市町村の経済活動の結果としてもたらされた市町村税の全国と名護市の内容が示されています。構成比で見ると，全国では市町村民税が45.3%ですが名護市は38.7%で，全国と比較すると6.6%ポイント低い一方で，固定資産税が全国では市町村民税が41.5%ですが名護市は54.2%で，全国と比較すると12.7%ポイント高くなっています。市町村民税は，個人所得と法人所得を基礎に算出されますから，全国と比べ個人所得と法人所得が低いことが分かります。

表1　市町村税の特徴（単位：億円・%）

	平成27年度金額（全国）	構成比（全国）	平成27年度金額（名護市）	構成比（名護市）
市町村税総額	210,763	100	61.42008	100
市町村民税	95,480	45.3	23.79854	38.7
個人分	72,237	34.3	17.89046	29.1
法人分	23,243	11.0	5.90808	9.6
固定資産税	87,550	41.5	33.31481	54.2
都市計画税	12,444	5.9	N/A	N/A
市町村たばこ税	9,361	4.4	3.33321	5.4
その他	5,928	2.8	1.97352	3.2

（出所）総務省『地方財政白書－平成29年度版－』（http://www.soumu.go.jp/menu_seisaku/hakusyo/chihou/29data/2017data/29czb01-03.html）
名護市平成27年度決算状況（http://www.city.nago.okinawa.jp/municipal/2018120500056/file_contents/H27kessancard.pdf）－18,12,31月

（3）名護市の財政状況

　ある地方公共団体の財政が，どのような状況かを知る指標が財政力です。地方公共団体は，その地方行政サービスの及ぶ範囲，人口構造や産業によって影響を受けるため，人口規模や産業構造が似ている市町村と比較が行われます。財政力は，地方自治体財政の強弱を測る基準となります[18]。また，税収は，産業構造の産業連関で学んだように地方自治体の産業構造を反映しているといえます。このことを念頭に名護市の財政状況を見ると，財政力では 198 ある類似市町村中では 169 位，全国平均 0.49 であるのに対し平成25 年度では 0.40 と全国の類似市町村に比べ財政的に弱いことが分かります。

（4）伊是名村や伊平屋村の財政状況

　次に産業構造が脆弱と思われる地域の財政を見てみましょう。北部 12 市町村の自治体の一部は財政状況が厳しく，住民の基本サービスを提供するだけで精一杯な状況と思われる自治体もあります。

表2　名護市の財政力

年度	財政力		財政構造の弾力性*		人件費・物件費の状況（円）*		将来負担の状況*		公債費負担の状況（%）*		定員管理の状況（人）*		給与水準（国との比較）	
	名護	類似	名護	類似	名護	類似	名護	類似	名護	類似	名護	類似	名護	類似
平成21	0.50	0.64	92.3	91.8	119.813	118.115	81.1	106.9	11.8	13.9	8.52	7.95	96.0	97.6
平成22	0.45	0.61	85.7	87.9	116.899	117.786	46.0	88.1	9.6	12.9	8.46	7.89	95.6	97.6
平成23	0.42	0.85	88.3	89.6	120.473	120.040	35.4	69.2	7.8	11.1	8.30	7.37	102.3	106.6
平成24	0.38	0.63	90.2	90.2	118.645	118.819	28.3	58.2	6.7	10.3	8.19	7.25	102.3	106.6
平成25	0.40	0.63	90.8	89.6	121.286	120.327	23.4	50.3	6.7	9.6	8.11	7.17	94.6	8.1
	順位 169/198 全国平均 0.49 県平均 0.33 最大 1.05 最小 0.26		順位 122/198 全国平均 90.2 県平均 85.8 最大 107.1 最小 75.0		順位 141/198 全国平均 116.288 県平均 118.000 最大 120.327 最小 68.469 人口1人当たり		順位 72/198 全国平均 51.0 県平均 51.4 最大 219.4 最小 0.3		順位 54/198 全国平均 9.8 県平均 9.8 最大 20.4 最小 △0.9		順位 146/198 全国平均 6.96 県平均 7.43 最大 16.05 最小 3.71 人口千人当たり		順位 19/198 全国市平均 98.6 全国町村平均 95.6 最大 105.8 最小 88.2 ラスパイレス	

（＊は低い値が望ましい）
注）平成 25 年度市町村類型 II － 1 は年度によって変わる。

（出所）宮平栄治他（2017）p.193

　地域間の交流を滞留人口で分析しましょう。滞留人口は，RESAS の From-to 分析（滞在人口）から調べることが出来ます。滞留人口の測定は，スマートフォンアプリ利用者の位置情報を年・月・時間単位，平日・休日（土日・祝日）別に集計した上で，午前 4 時時点で滞在している自治体を出発地として，2 時間以上特定の地域にとどまった場合を「滞在」として数えます。

　滞留人口をみると，平日と休日で滞留人口が減少している自治体が 5 村，すなわち，東村，宜野座村，金武町，伊平屋村，伊是名村です。これらの 5 村は，北部観光のルートから外れていることを意味しています。

　表 3 と表 4 でみるように伊是名村や伊平屋村では，現在のところ他の北部地域との産業連携が小さいため，労働所得などの付加価値を高めることが難しい状況にあります。次このような産業構造が伊是名村と伊平屋村の財政にどのような影響を与えているかを表 5 と表 6 で見てみましょう。両村とも所得などを財源とする地元で得られる税収が少ない状態です。財政構造の弾力性は 100 前後です。住民サービスを提供する公務員の給料の支払だけで村の収入が費やされているため新たな行政サービスができない状態となっ

表 3　伊平屋村の滞留人口

2015年　平日					2015年　休日				
県内市町村	滞在人口	県外市町村	滞在人口	合計	県内市町村	滞在人口	県外市町村	滞在人口	合計
伊平屋村	1400				伊平屋村	1,400	データなし	データなし	1,400
名護市	100	データなし	データなし	1,600					
今帰仁村	100								

（出所）RESAS に基づき筆者が作成した

表 4　伊是名村の滞留人口

2015年　平日					2015年　休日				
県内市町村	滞在人口	県外市町村	滞在人口	合計	県内市町村	滞在人口	県外市町村	滞在人口	合計
伊是名村	1,600				伊是名村	1,600	データなし	データなし	2,100
今帰仁村	500	データなし	データなし	2,200	今帰仁村	400			
那覇市	100				大宜味村	100			

（出所）RESAS に基づき筆者が作成した

ています。北部 12 市町村と関連づけた産業を確立し，付加価値を高める施策が待たれます。

8．おわりに

　この章では，産業構造と地方財政との関係性を説明しました。産業構造は，その地域に豊富に存在する資源，技術力，市場との距離と輸送費，為替

表 5　伊是名村の財政

年度	財政力		財政構造の弾力性		人件費・物件費の状況(円)*		将来負担の状況*		公債費負担の状況(%)*		定員管理の状況(人)*		給与水準(国との比較)	
	伊是名	類似	伊是名	類似	伊是名	類似	伊是名	類似	伊是名	類似	伊是名	類似	伊是名	類似
平成23	0.11	0.17	99.5	81.2	463.157	339.889	107.3	0.0	22.8	11.4	33.87	19.85	94.8	102.1
平成24	0.11	0.17	104.4	78.6	507.360	359.360	92.1	0.0	19.8	10.1	34.35	19.93	99.7	102.3
平成25	0.12	0.16	102.5	78.7	549.097	355.101	76.7	0.1	13.7	9.2	36.56	20.61	94.3	94.6
	順位 92/131 全国平均 0.49 県平均 0.33 最大 0.95 最小 0.05		順位 130/131 全国平均 90.2 県平均 85.8 最大 106.2 最小 60.9		順位 110/131 全国平均 116.288 県平均 118.000 最大 1,180.783 最小 166.109 人口1人当たり		順位 126/131 全国平均 51.0 県平均 51.4 最大 107.7 最小 0.0		順位 113/131 全国平均 8.6 県平均 9.8 最大 18.1 最小 △5.4		順位 121/131 全国平均 6.96 県平均 7.43 最大 60.54 最小 8.91 人口千人当たり		順位 52/131 全国市平均 98.6 全国町村平均 95.6 最大 102.4 最小 74.9 ラスパイレス	

（＊は低い値が望ましい）
市町村類型　平成 25 年　1 − 0（注：年によって変わる）

（出所）宮平栄治他（2017）p.195

表 6　伊平屋村の財政

年度	財政力		財政構造の弾力性		人件費・物件費の状況(円)*		将来負担の状況*		公債費負担の状況(%)*		定員管理の状況(人)*		給与水準(国との比較)	
	伊平屋	類似	伊平屋	類似	伊平屋	類似	伊平屋	類似	伊平屋	類似	伊平屋	類似	伊平屋	類似
平成23	0.08	0.17	88.1	81.2	546.783	339.889	92.0	0.0	19.8	11.4	33.33	19.65	91.1	102.3
平成24	0.08	0.17	89.0	78.5	603.731	359.360	54.1	0.0	17.7	10.1	35.11	19.93	92.3	102.3
平成25	0.08	0.16	96.7	78.7	641.138	355.101	70.8	0.1	16.6	9.2	34.01	20.61	86.2	94.6
	順位 124/131 全国平均 0.49 県平均 0.33 最大 0.95 最小 0.05		順位 128/131 全国平均 90.2 県平均 85.8 最大 106.2 最小 80.9		順位 119/131 全国平均 116.288 県平均 118.000 最大 1,180.783 最小 166.109 人口1人当たり		順位 125/131 全国平均 51.0 県平均 51.4 最大 107.7 最小 0.0		順位 115/131 全国平均 8.6 県平均 9.8 最大 18.1 最小 △5.4		順位 115/131 全国平均 6.96 県平均 7.43 最大 60.54 最小 8.91 人口千人当たり		順位 4/131 全国市平均 98.6 全国町村平均 95.6 最大 102.4 最小 74.9 ラスパイレス	

（＊は低い値が望ましい）
市町村類型　平成 25 年　1 − 0（注：年によって変わる）

（出所）宮平栄治他（2017）p.195

相場，ライバル地域の動向や技術革新の影響を受けます。沖縄のように島嶼地域では，一つの市町村単独では，産業育成や6次産業化は難しい状況にあります。共通する経済基盤を持つ地域が連携し，共通する地域資源を連携し，産業連携と付加価値を高め，さらには，財やサービスを北部12市町村以外の地域に販売し，外部資金を得る必要があります。そして，得られた外部資金を貧富の格差が大きくならないよう分配し，次の産業発展のための原資に利用するなどの政策も必要となります。

注

1）「たかがキウイ，されどキウイ」『日本経済新聞』2018年3月24日（土曜日）朝刊・19面，「大機小機」を参照した。

2）宮平「時事こらむ：島嶼経済再考—地域特性をどう生かすかが鍵—」『沖縄タイムス』2005年11月27日（日曜日）朝刊。嘉数(2017) pp.61-83は，消費地から遠隔地にある島々の経済発展として「複合連携型(当初資源活用型)発展戦略」を提示している。

3）マンゴーの産地偽装に関しては『沖縄タイムス』2008年7月31日（木・夕刊）1・5面，『沖縄タイムス』2008年8月1日（金・朝刊）1・9・31面および『琉球新報』2008年8月1日（金・朝刊）1・9・31面など，海ブドウについては『沖縄タイムス』2008年8月13日（水・朝刊）1・25面，『琉球新報』2008年8月13日（水・朝刊）1・27面を参照した。

4）宮平「地域ブランド管理政策に向けての基礎理論研究」『名桜大学総合研究』15号，2009年3月，名桜大学総合研究所，pp.25-30では，地域ブランドを地域の「水源地」や「里山・里海」というコモンプール財に見立てて管理方法を提示している。

5）稲毛(1971)『産業構造論』東洋経済新報社，p.8を参照した。

6）小野(1996)『産業構造入門』日本経済新聞社，p.13を参照した。

7）以下の説明は，鳥居(1979)『経済発展理論』東洋経済新報社 pp.228-255をまとめた。

8）宮沢(1988)『業際化と情報化−産業社会へのインパクト』有斐閣，pp.73-81を参照した。

9）山本健兒(2005)『経済地理学入門−新版−』原書房，pp.45-66をまとめた。

10）高増・野口 (1997)『国際経済学』ナカニシア出版, pp.15-26 を参照した。

11）若杉 (2009)『国際経済学－第3版－』岩波書店, pp.43-49 をまとめた。

12）鳥居 (1979)『前掲著』, pp.263-282 では, その他の例としてチュナリーのパターン分析などがあるが, 本章では割愛した。

13）入谷 (2012)『地域と雇用をつくる産業連関分析入門』自治体研究所, pp.10-11 をまとめた。

14）RESAS へは内閣府の「https://resas.go.jp/#/13/13101」からアクセスできます（閲覧日：2018年12月30日）。

15）RESAS の用語は「https://resas.go.jp/manual/#/13/13101」は掲載されています（閲覧日：2018年12月30日）。

16）神野 (2007)『財政学－改訂版－』有斐閣, p.5 を参照した。

17）林 (2011)『財政学－第3版－』, 新世社, pp.16-17 を引用した。

18）兼村・星野 (2001)『自治体財政はやわかり－改訂版－』イマジン出版, pp.71-77 を参照し, まとめた。

参考文献

池宮城秀正（2009）『琉球列島における公共部門の経済活動』同文舘

稲毛満春 (1971)『産業構造論』東洋経済新報社

入谷貴夫 (2012)『地域と雇用をつくる産業連関分析入門』自治体研究所

小野五郎 (1996)『産業構造入門』日本経済新聞社

嘉数啓 (2017)『島嶼学への誘い』岩波書店

兼村高文・星野泉著 (2001)『自治体財政はやわかり－改訂版－』イマジン出版

小塩隆士（2002）『コア・テキスト財政学』新世社

市川健太編著（2013）『図説日本の財政－平成25年度版－』東洋経済新報社

沖縄県庁ホームページ

http://www.pref.okinawa.jp/site/kikaku/shichoson/gaiyo/documents/01_2_zaiseihikakubunnsekihyou.pdf」（閲覧日：2016年7月11日）

http://www.pref.okinawa.jp/site/kikaku/shichoson/gaiyo/documents/01_3_zaiseihikakubunnsekihyou.pdf」（閲覧日：2016年7月11日）

神野直彦 (2007)『財政学－改訂版－』有斐閣

高増明・野口旭 (1997)『国際経済学』ナカニシア出版

鳥居泰彦 (1979)『経済発展理論』東洋経済新報社

中村良平（2014）『まちづくり構造改革』日本加除出版

二神孝一・堀敬一（2009）『マクロ経済学』有斐閣

日本政策投資銀行地域企画チーム編著（2001）『自立する地域』ぎょうせい

林宜嗣 (2011)『財政学－第3版－』新世社

宮沢健一 (1988)『業際化と情報化－産業社会へのインパクト』有斐閣

宮平栄治『沖縄タイムス』（2005年11月27日日曜日）朝刊

宮平栄治「地域ブランド管理政策に向けての基礎理論研究」『名桜大学総合研究』15
　　号，2009年3月，名桜大学総合研究所

山本健兒 (2005)『経済地理学入門－新版－』原書房

横山彰・馬場義久・堀場勇夫（2009）『現代財政学』有斐閣

若杉隆平 (2009)『国際経済学－第3版－』岩波書店

リチャード・ボールドウィン／遠藤真美訳（2018）『世界経済大いなる収斂』日本経済
　　新聞出版社

執筆者紹介

【編者・序章・3章担当】

仲尾次 洋子 なかおじ・ようこ　　名桜大学国際学群・教授

〔学歴〕近畿大学大学院商学研究科博士後期課程修了，博士（商学）

〔主要業績〕

『台湾の会計制度―会計基準の国際化と国家戦略―』同文舘出版，2020年

「海外進出子会社の会計行動から見える異文化会計」『異文化対応の会計課題―グローバルビジネスにおける日本企業の特徴―』（共著）pp.165-200，同文舘出版，2019年

「台湾における IFRS の導入戦略―企業の IFRS 導入事例を手がかりに―」『IFRS 適用のエフェクト研究』（共著）pp,159-174，中央経済社，2017年

【1章・2章担当】

林 優子 はやし・ゆうこ　　名桜大学国際学群・教授

〔学歴〕熊本学園大学大学院商学研究科商学専攻（博士後期課程）修了，博士（商学）

〔主要業績〕

「新たな局面を迎えたまちづくり政策：コンパクトシティへの取組み」『名桜大学環太平洋地域文化研究』（No.1）pp.27-36，2020年

「ソーシャル・メディアと SNS の発展過程」『インターネットは流通と社会を変えたか』（共著）pp.110-125，中央経済社，2016年

「地方都市における格差社会の現状―沖縄を事例として―」『格差社会と流通』（共著）pp.170-188，同文舘出版，2015年

【第4章担当】

大城 美樹雄 おおしろ・みきお　　名桜大学国際学群・准教授

〔学歴〕愛知学院大学大学院経営学研究科博士課程後期満期退学，修士（経営学）

〔主要業績〕

「沖縄企業研究―自立経済の確立を目指して―」愛知学院大学論叢『経営学研究』第25巻第1・2合併号，2016年

「地域と連携したゼミ活動―『ゴミゼロ大作戦！』について―」『名桜大学紀要』第 20
　　号 pp.87-94，2015 年
「沖縄本島北部市町村自治体の発刊する報告書等の分析による自治体との関わり方に関
　　する検討」名桜大学総合研究所紀要「総合研究」第 22 号 pp44-55，2013 年

【5 章担当】

草野　泰宏　　くさの・やすひろ　　　名桜大学国際学群・准教授

〔学歴〕熊本学園大学大学院商学研究科博士後期課程単位取得，博士（商学）

〔主要業績〕

「社会的企業・社会的資本の『企業』『資本』の経済的な内容について―アスリートクラ
　　ブ『ロアッソ』を事例に―」（共著）『熊本学園商学論集』第 21 巻第 1 号 pp.1―
　　36，2017 年
「都市の再デザインについての考察―熊本のリノベーション事例から考える」EAROPH
　　2015 Regional Seminar, *Academic Papers and Study Reports,* pp.137-141，2015
　　年
「現代のまちづくりと市民参加―消費文化理論（CCT）調査の応用―」日本流通学会『流
　　通』第 26 号 pp.1-15，2010 年

【6 章担当】

宮平　栄治　　みやひら・しげはる　　　名桜大学国際学群・教授

〔学歴〕明治大学政治経済学後期課程満期退学，修士（経済学）

〔主要業績〕

「沖縄振興政策における沖縄 21 世紀ビジョンの意義と課題」『現代経済社会の諸問題―
　　渡部茂先生古希記念論集―』(共著) pp.388-417，学文社，2018 年
「国防予算がマクロ経済へ与える影響―アメリカの軍事費とマクロ経済の実証分析―」
　　『經濟と社會』，沖縄経済学会機関誌，第 31・32 合併巻 pp.3-16，2017 年
「沖縄の若年者失業問題解決への理論的アプローチ」『經濟と社會』，沖縄経済学会機関
　　誌，第 22 巻 pp.9-25，2005 年

名桜大学やんばる
ブックレット・6

やんばると産業

2020 年 4 月 24 日　初版第 1 刷発行

編　者　仲尾次洋子
発行所　名桜大学
発売元　沖縄タイムス社
印刷所　光文堂コミュニケーションズ

『やんばるブックレット』シリーズ刊行に際して

　グローバリゼーションと呼ばれる現象は、人々の想像や想定をはるかに超える速さと広がりの中で私たちの生活を変えてきています。「やんばる」でも、グローバル化の波が足元まで押し寄せ、社会や歴史や文化を新たな視点から見直し、二十一世紀の新しい生き方を考えざるを得なくなってきました。名桜大学『やんばるブックレット』シリーズ刊行の背景には、このような時代の変容が横たわっています。

　二十一世紀の沖縄はどこに向かうのか。どのような新しい生き方が私たちを待っているのか――。沖縄北部を斬新な切り口から見つめ直すことで、沖縄や日本全体の未来が見えてこないか――。本ブックレットシリーズには人間の生き方を根源から問い直してみようという思いも込められています。

　なによりも、新しい時代にふさわしい「やんばる像」（＝「自己」像）を発見し、構築しようという思いから本シリーズは刊行されることになりました。Edge ＝ 「辺境」ではなく、cutting edge ＝ 「最先端」、「切っ先」としての「やんばる」を想像／創造してみたいと思います。名桜大学のブックレットシリーズが新たな未来と希望につながることを願っています。

　二〇一六年　名桜大学学長　山里勝己